POINT FINAL

William Lafleur

POINT FINAL

Michel Lafon

118, avenue Achille-Peretti – CS 70024
92521 Neuilly-sur-Seine Cedex
www.michel-lafon.com

Avant-propos

Le 13 janvier 2010, dans l'anonymat d'Internet, un blog a été créé parmi des millions d'autres. Il n'a reçu aucune publicité, sinon un bouche-à-oreille discret, pour attirer un lectorat réduit mais fidèle. Le 28 février de cette même année, il s'est éteint sans plus de bruit.

Ce silence, c'est celui de « L'Homme mort », nom que portait le blog. Un homme y racontait, quotidiennement, comment il s'était fait passer pour mort afin de mieux comprendre la vie de ses proches.

Les lecteurs, à la fois fascinés et répugnés par son récit, ont cru ou douté, sans se détacher de l'écran. Leur confiance ou leur méfiance ont varié, se sont confirmées et inversées au fil des jours. Personne n'est resté indifférent. Leurs commentaires s'imbriquent dans ce récit et sèment le doute : qui est donc le voyeur dans cette histoire ?

De l'écran au papier, ses mots devaient arriver jusqu'à vous.

William Lafleur

Post mortem

Publié le mercredi 13 janvier

Ce matin, je suis mort. J'ai mis un point final à cette vie et il n'en sera pas question dans les journaux. Ou peut-être aurai-je droit à trois lignes dans la rubrique nécrologique, près des petits faits divers sordides. La vérité, qui tient en un peu plus de mots, l'est tout autant.

En réalité, je suis seul, bien vivant, trop vivant, devant mon ordinateur, à écrire ce message. Chaque lettre tapée est une larme qui coule sur la joue de ma femme. Rien n'est vrai. C'était une mise en scène, préparée depuis des années, parce que l'idée de ma mort était la seule fenêtre qui me permettait de respirer. Cette idée que, du jour au lendemain, je pouvais tout quitter, tout défaire et me refaire. Je suffoquais, le quotidien m'enfermait autant qu'il me déformait. Alors, peu à peu, j'ai élaboré cette fuite : ma mort.

Désormais, je vivrai à travers ces pages et en dehors du monde, en âme contemplant ses proches continuant à fuir le temps. Je n'ai plus d'existence aux yeux de quiconque sinon auprès de vous, que le hasard ou l'ennui ont mené à feuilleter ma solitude. N'ayant pu vivre ma vie, c'est son absence que je me propose de partager. Ce n'était pas si dur de passer de l'autre côté, vous savez.

Ce n'est point final

Publié le jeudi 14 janvier

Le point final, petite et cruelle ponctuation, symbolise ma liberté acquise. Le terme de mon existence, l'acte de décès, le point de non-retour. L'ironie veut que ce soit après lui que je me mette à écrire. Car ce n'est point un final mais le début d'une nouvelle existence, dont les seuls témoins seront ces mots.

À la première des pages, je me disais mort ce matin. N'y croyez pas. Tout ce que j'écris est travesti, mon projet est trop précieux pour que je laisse quoi que ce soit au hasard. Les noms, les dates, peut-être même certaines actions seront modifiés, mais j'essaierai de livrer mes observations dans le plus pur état qui soit. Malgré tout, ne prenez rien pour argent comptant. Je préfère ne pas prendre de risque. Tout est prévu, ne m'en voulez pas, je ne protège pas que moi.

Pourquoi me confier, si le danger de recouvrer mon identité est si grand ? Je crois qu'au fond je ne veux pas être vraiment mort. Si je gardais tout pour moi, j'aurais l'impression que tout est vain, et j'ai ce besoin futile de partager.

J'ai toujours voulu voir comment réagiraient mes proches après ma mort. Se souviendraient-ils de moi ? M'aimeraient-ils toujours ? Me remplaceraient-ils ? Ces questions me rongeaient tellement que j'ai fini par franchir le pas. Peut-être trouverai-je des réponses.

Ce que j'ai mis des années à concrétiser sera lu en trop peu de temps.

Faire le point

Publié le vendredi 15 janvier

Comme je l'ai déjà dit, tout cela a été écrit à l'avance. Imaginé serait plus exact. Depuis combien de temps ? Je porte en moi cette idée depuis des années, ce qui m'a laissé le temps de tout organiser. Le plus dur n'était pas forcément de prendre la décision. Le choix, une fois qu'il est fait, devient une chute qui entraîne avec elle de nombreuses responsabilités et la perte de tout repère moral.

Il n'est pas évident de mettre sa mort en scène. Je ne vais pas entrer dans les détails, peut-être que les autorités veillent. Sachez juste qu'Internet est un nid de désespérés sur qui l'on peut compter, et qu'il n'y a pas de recherche approfondie sur l'identité d'un cadavre lorsqu'il ne présente pas d'irrégularités et que celui à qui il appartient était un individu lambda. C'est cet anonymat, ma vie de monsieur Tout-le-monde, qui m'a permis de prendre refuge ici, sur mon écran, sur une page parmi des millions d'autres.

Disparaître n'était pas tout. Je voulais rester en contact avec ma famille, continuer de les voir, mais aussi je voulais savoir. Savoir s'ils m'aimaient, savoir comment ils rebâtiraient leur existence, et surtout : savoir qui ils étaient. Pour cela, je me suis approprié l'espace familial : la maison.

C'était un travail minutieux et coûteux, que la vie que j'avais menée jusqu'alors m'a permis de réaliser. J'ai truffé la maison de caméras et de micros, pour pouvoir vivre, par-delà ma mort, avec ma famille. Pour les observer, les entendre et, qui sait, peut-être les comprendre.

Il y a peu d'angles morts et ceux-ci ne sont pas handicapants. Je n'ai pas fait de compromis, depuis les couloirs jusqu'à la salle de bains et les toilettes, rien ne peut m'échapper. Pourquoi aller jusque-là ? Pourquoi investir chaque espace de leur intimité, même ceux qui ne m'intéressent pas ?

C'est le premier pas dans l'immoralité qui est le plus difficile mais, une fois l'impulsion donnée, on ne peut plus reculer. Quand j'ai fait les branchements initiaux, j'avais la gorge nouée et le dos trempé. Mais, petit à petit, cette peur s'est muée en frénésie et je ne pouvais plus m'arrêter. Quitte à pénétrer dans l'immoralité, autant le faire jusqu'au bout.

Dans la pièce que j'habite, où j'écris ces mots, j'ai suffisamment d'écrans pour suivre chaque membre de ma famille, en simultané. J'ai également installé des logiciels d'enregistrement dans chacun des ordinateurs, ils me permettent de savoir ce qu'ils tapent sur leurs claviers en temps réel. Chaque mot, chaque sanglot, chaque geste atterrit directement chez moi, une chambre nue où résonne l'écho d'un monde auquel je n'appartiens plus. Je suis désormais spectateur de ma propre absence. Et vous, les lecteurs de mon voyeurisme que je tente en vain de justifier.

Dramatis personæ

Publié le samedi 16 janvier

Moi, l'absent : père aimant, aimé, bientôt oublié ?

Thomas : fils aimant, aimé, abandonné, âgé de 18 ans, en classe de terminale.

Sophie : fille aimante, aimée, abandonnée, âgée de 16 ans, en classe de seconde.

Patricia : femme aimante, aimée et qui, hélas, n'a rien vu venir. 46 ans.

Les décors ? Une maison assez spacieuse et très classique. Tout cela désormais sous mon regard, par l'œil des caméras. Salon, salle à manger, toilettes, cuisine, salle de bains et chambre des parents, de Patricia, au rez-de-chaussée. À l'étage, les chambres des enfants, une remise, des toilettes et une salle de bains.

Cette maison que j'ai bâtie en partie, j'en suis désormais étranger. Une vie que j'ai haïe, que j'ai quittée. Une famille que j'ai aimée, mais que j'ai également quittée.

Là où je suis maintenant n'a que peu d'importance. J'ai installé un miroir au-dessus de mon lit. Quand, enfin, je laisse ma famille pour me reposer, je n'échappe pas à mon propre regard. Peut-être voulais-je m'imposer ce que j'inflige. Peut-être voulais-je me rappeler que j'existe, malgré tout. Qui sait ?

Peut-être que j'espère que quelqu'un me regarde à mon tour, de l'autre côté du miroir. Peut-être est-ce vous ?

Final-ment

Publié le dimanche 17 janvier

Avant de commencer à vous livrer mes observations, il convient de clarifier certains points. Mes comptes rendus seront plus thématiques que chronologiques. Je ne veux pas fournir d'informations du genre : « 13 h 42, Thomas va aux toilettes. 13 h 45, Thomas ne s'est pas lavé les mains », qui sont, malgré tout, des informations que je note pour moi.

Seulement, l'intérêt à mes yeux n'est pas de fournir un descriptif complet de vies observées au microscope, mais plutôt d'extraire un sens de ce magma de faits et gestes.

Je ne compte pas décrire ce qu'ils vivent, mais plutôt comment ils le vivent et comment je le vois. Je vais essayer d'être aussi froid que possible, ne pas dire ce que je ressens.

Quitter ma famille représentait une libération, mais également un sacrifice. Celui des miens. Je sais très bien qu'au fond je les abandonne et m'en sers comme cobayes. Ne me crachez pas au visage pour cela, j'ai déjà suffisamment honte.

La vie est constituée de vide, peut-être que celui-ci tarira rapidement ma source d'inspiration. Peut-être aurai-je vite fait le tour de tout cela. Que cela n'en vaut pas la peine. Probablement, même. Mais il le fallait.

Je vais faire de mon mieux pour écrire le plus longtemps possible. Malgré le vide, malgré tout, afin de garder profusément ces mots au bout des doigts. Ce n'est pas pour vous, c'est pour moi, pour me pousser à réfléchir, à écrire, ne pas me laisser pourrir dans cette pièce où je ne vis qu'à travers ce que je vois.

J'ai quitté la ville de ma famille, de peur d'être reconnu, mais je ne suis pas parti très loin. Ma vie, quant à elle, est réduite à son strict minimum, à écouler lentement les économies que j'ai constituées en prévision : je mange, j'observe et j'écris. Je fais mes courses quand rien ne se produit. Je dors quand ils dorment et je me réveille quand le détecteur de mouvements m'indique que leur vie reprend.

De l’autre côté du miroir

Publié le lundi 18 janvier

Mon plus grand regret a été de ne pas voir le visage de ma femme lorsqu’elle a appris la nouvelle. C’est l’une des limites de mon expérience : mes yeux et mes oreilles se limitent au domicile familial. J’aurais pu la suivre toute la journée, pour saisir cet instant unique, mais cela présentait trop de danger. Dès le début, j’ai dû me restreindre, afin d’en prendre l’habitude. Le premier jour, seul de l’autre côté de l’écran, on est très mal à l’aise.

J’avais déjà fait des réglages et des tests avant de passer à l’acte, calmement. Mais un « chez-moi » m’attendait : je pouvais retourner à mon quotidien et n'y plus penser. À tout moment, je pouvais revenir sur mes pas, m'extraire de la folle entreprise. Là, je suis cloîtré dans ma pièce comme je suis reclus dans mon crâne, l'unique fenêtre de sortie est cet écran qui me vomit au visage ma propre cruauté.

Je ne savais pas à quel moment on retrouverait « mon » corps. J'étais impatient, devant ces écrans sans vie, sans mouvement, à me ronger les ongles, à vouloir tout abandonner, tout ce travail, toutes ces remises en question ; y retourner comme si de rien n'était.

Peu après 17 heures, Thomas et Sophie sont rentrés du lycée, ensemble. Sophie, comme toujours, est allée s'enfermer dans sa chambre, faire ses devoirs directement après les cours, pour en être débarrassée le plus vite possible. Thomas, lui, s'est assis devant la télé pour regarder des dessins animés. D'habitude, ma femme serait rentrée peu après, lui aurait dit : « T'as pas passé l'âge ? »

et il aurait grogné ou rigolé, selon son humeur. Mais là, elle tardait, et il ne semblait pas s'en inquiéter. Je ne pouvais m'empêcher de me dire : « S'il savait ! » J'exultais. J'avais face à moi toute l'ironie de l'existence. Le môme qui mate ses dessins animés pendant que sa mère pleure. L'absurdité de la vie se tient dans la superposition de ces deux scènes, où l'anodin côtoie le tragique. Le parallèle ne viendra probablement jamais à l'esprit de Thomas, et c'est tant mieux.

À 18 h 13, je perçois un mouvement devant la porte d'entrée. C'est Patricia qui arrive, les yeux rouges, les joues humides. Elle reste plantée devant la porte. Les secondes passent, mon cœur se serre. Elle doit chercher ses mots, pendant que j'écris les miens. Moi qui m'étais promis de ne pas pleurer, je craque. Quelques minutes à peine se sont écoulées depuis ma disparition et, déjà, je fonds en larmes.

« Aujourd'hui, papa est mort »

Publié le mardi 19 janvier

Les minutes passent. Patricia regarde autour d'elle et, étrangement, tente d'actionner le verrou de la porte ; elle sait pourtant que les enfants rentrent toujours avant elle. Elle est confuse, son pilotage automatique se dérègle. Pour elle, les règles du jeu ont changé et déjà, elle perd un peu le contrôle d'elle-même.

Je suranalyse probablement, mais il s'agit pour moi de me focaliser sur la serrure, sur son corps, afin de ne pas m'appesantir sur ce visage. Par saccades ses mains, ses bras effectuent des mouvements qu'elle ne semble pas maîtriser. Elle pose son sac et son manteau à même le carrelage de l'entrée, serre son poing autour du trousseau de clés.

Son visage est d'habitude peu expressif, comme lisse de toute émotion. Je lui répétais souvent qu'elle restait la même qu'à notre rencontre, que les années la marquaient peu. Aujourd'hui, des rides que je ne lui connaissais pas sont apparues au coin de sa bouche. Sa mâchoire est crispée, elle semble avoir vieilli d'un coup.

Dans le salon, à quelques mètres d'elle, Thomas a toujours le regard rivé sur la télé. Au bruit des affaires déposées, il lance sans même la regarder : « Salut maman ! Tu arrives tard, non ? » Silence. Il finit par se retourner et découvre les yeux rougis de sa mère, ses cernes d'habitude estompés et la tristesse. Il doit être frappé, comme moi, par le contraste avec l'ordinaire et pose la question qui va détruire sa jeunesse : « Qu'est-ce qui se passe ? »

Devant la détresse de Patricia, il finit par baisser le son de la télé, sans l'éteindre.

« Appelle ta sœur. » Thomas, sûrement pour tenter de fuir la tension, se dirige vers les escaliers et sa mère s'effondre sur un fauteuil du salon. Il crie : « Sophie, descends, maman est bizarre ! »

J'ai l'impression de suivre un soap opera, je veux savoir la suite, quelle tournure vont prendre les événements. À partir de ce moment, je suis en terrain inconnu et mon cœur recommence à battre. Mes enfants font face à leur mère, pendant des secondes qui s'égrènent aussi péniblement que les heures d'ennui.

Enfin, Patricia balbutie difficilement : « Votre père a eu un accident. » Comme seule réaction, le silence. Les mots ne font pas sens tout de suite et tous trois semblent se répéter l'information, comme pour mieux l'évaluer. Sophie se risque à un « C'est grave ? Il va bien ? », presque soufflé.

Patricia se contente de secouer la tête en serrant les dents, ferme les yeux. Ses paupières sont un faible barrage contre les larmes, le trop-plein sous les cils déborde et roule sur ses joues, jusque dans son cou. Du plat de la main, elle tente de les essuyer. Je crois qu'elle pâlit encore.

Patricia articule difficilement : « Il… Votre père, il est… Il est… », sans parvenir à terminer sa phrase. Sophie laisse échapper un sanglot et Thomas baisse la tête, se contentant d'un « Putain » soupiré. Les enfants ont compris, elle n'a plus besoin de trouver les bons mots. Au moins, elle n'a pas menti à son insu.

Un voile flou vient brouiller les écrans devant moi. Je ne vois plus rien.

Symphonie pour dents

Publié le mercredi 20 janvier

Je vous passe l'explication fournie aux enfants, de peur de divulguer trop de détails. Peut-être aussi qu'écrire cela m'est trop difficile.

Ce qu'il faut garder à l'esprit dans ce dialogue, c'est que ma femme et ma fille n'ont pas cessé de pleurer alors que mon fils s'est contenté de serrer les dents, gardant les yeux secs et étonnamment fixes. Je pouvais imaginer ses mâchoires qui se contractaient derrière ses joues. C'est une sensation que je connais.

Dès l'instant où ma mort avait été sous-entendue, son rôle avait changé. Il n'était désormais plus le gamin qui pourrait regarder les dessins animés pendant une heure après les cours. Malgré lui, à cause de moi, il était devenu « l'homme de la maison ». Et là, son rôle, c'était de ne pas trahir son émotion. J'ai trouvé ça mignon. Le terme n'est probablement pas adéquat, mais c'est celui qui me vient à l'esprit. Le voir se battre contre lui-même, éviter les regards, chercher des mots qui, même s'ils ne viennent pas, montrent qu'il ne se laisse pas envahir… Sa mère dira sans doute plus tard qu'il a « été fort ».

D'un regard extérieur, il est évident qu'il est aussi abattu que les autres ; le masque d'impassibilité dont il s'est affublé le fatigue et le crispe d'autant plus.

Il ne lâche rien, il a cette volonté de rester de marbre, d'enterrer ses émotions en même temps que son père, comme pour dire à sa mère : « Tout va bien se passer, tu peux compter sur moi. » J'ai fait pareil après le décès de son grand-père. Je revois l'apparent stoïcisme crétin que j'arborais fièrement lors de l'enterrement. Fier de ne rien montrer, fier de ne pas pleurer. Fier de m'user les dents, de les faire grincer, seul moyen de faire résonner ma détresse que je ne pouvais pas crier.

Ça m'a fait un peu peur de me retrouver, comme ça, dans mon fils. Il n'a jamais eu mon « ambition », mon côté travailleur, et cela m'a souvent agacé. Là, sa volonté ressemble à la mienne. Il a fallu que je m'en aille pour voir un peu de moi en lui, c'est suffisamment parlant pour être relevé. Pourrait-on dire que c'est à travers ma disparition que je lui ai finalement transmis quelque chose ? Vous devez me croire fou.

Quand tout a été dit, dans une sorte de spontanéité digne d'une série américaine, les trois rescapés se sont pris dans les bras et, dans un concert de reniflements et de grincements de dents, se sont consolés. Patricia a dit aux enfants qu'elle les aimait.

Elle les a toujours aimés, je le sais bien, cependant ce n'est qu'en une telle circonstance qu'elle le leur a exprimé, comme pour éviter de regretter de ne l'avoir pas dit. Comme si, à son tour, elle remarquait que son temps était compté. J'aurais aimé être là pour les serrer dans mes bras, et leur dire que tout cela n'était qu'une mauvaise plaisanterie.

Les chaises silencieuses

Publié le jeudi 21 janvier

Ce soir-là, le repas fut froid. Patricia n'était pas d'humeur à préparer un plat élaboré et ils se sont contentés des restes, qu'ils ont à peine touchés.

Accompagnés du silence, ils regardaient chacun le fond de son assiette. Quand ils levaient les yeux, c'était pour contempler ma place vide et ma serviette posée sur la table. Mon absence était visible, palpable, pesante.

Pas de fromage, pas de dessert. Thomas a tout débarrassé puis, à nouveau, tous trois se sont réunis dans le salon. Patricia leur a dit que, s'ils voulaient, ils pouvaient ne pas aller au lycée le lendemain. Ils ont répondu d'un grognement qui ne voulait rien dire ; ils verraient selon leur humeur. Le plus dur n'étant probablement pas de trouver le courage de se lever, mais plutôt d'avoir à se trouver confronté au regard des camarades. Ce regard, empli de pitié, de compassion creuse que la politesse impose mais qui ne signifie rien, serait probablement la larme qui ferait déborder le vase.

Puis, la ronde des coups de téléphone a débuté. La mère de Patricia. Mes parents. Je ne pouvais entendre que ce que disait ma femme. Quelque part, cela me rassura. Je n'avais pas mis de mouchard au téléphone, c'est un objet qu'on utilisait très peu dans la famille. Était-ce que je n'avais pas pensé à ces appels nécessaires, ou bien s'agissait-il d'un « oubli » qui me permettait de me protéger de la voix de ma mère ? Je ne saurais le dire. Seulement, entendre les sanglots de ma mère m'aurait anéanti à cet instant précis. Elle passera sûrement à la maison dans quelques jours. J'espère être suffisamment blindé à ce moment-là.

Au téléphone, les mêmes mots, les mêmes silences, les mêmes sanglots, les mêmes « merci » et les mêmes reniflements après avoir raccroché.

Ma mort m'a paru être comme un évangile : je ne comprenais pas ce besoin de transmettre la nouvelle au plus vite. Sur le moment, j'ai pensé que c'était un moyen de se débarrasser au plus vite d'une des choses les plus difficiles à faire dans ces cas-là : communiquer. D'un autre côté, en apprenant la nouvelle, nos proches feraient office de sous-traitants, en transmettant eux-mêmes le message. Je vois probablement tout cela d'un œil trop froid. Peut-être que Patricia avait juste besoin de parler, d'être rassurée.

Dans sa chambre, ma fille s'est allongée sur le dos, les deux mains posées sur le ventre. Elle semblait fuir les informations extérieures : elle a fermé les yeux, ses écouteurs dans les oreilles, et s'est finalement endormie. Imperméable au monde.

Ma femme, pour la première fois depuis des années, s'est retrouvée seule dans le grand lit deux places. Avant de s'endormir, mon fils s'est masturbé.

La clé de Tchekhov

Publié le vendredi 22 janvier

Une à une, les lumières de la maison se sont éteintes et le sommeil est venu envelopper de son froid manteau les survivants. Faible réconfort. Je suis resté là, bercé par la lumière bleuâtre des écrans, dans mon nouveau cocon. Je ne voulais pas lâcher mon stylo. Depuis que Patricia était venue annoncer ma mort, je prenais frénétiquement des notes, de peur de perdre quelque donnée cruciale. Je crois n'avoir rien oublié. Mon texte est concis certes, mais je n'ai pas suffisamment de mots pour décrire le silence pesant et l'absence de mouvement que mon absence a provoqués.

J'ai écrit bien plus que ce que je livre ici, mais il s'agissait de beaucoup de redites. Le stylo drainait toute mon énergie, je crois que j'écrivais pour ne pas avoir à penser. Ou pour justifier ma présence et mes actes. Dans tous les cas, je me baignais dans mon encre et je dois avouer que j'y étais bien, comme un fœtus dans son liquide amniotique. Après avoir mis un point final à mes notes, j'ai commencé à me sentir mal. Pour la première fois, je me suis vu tel que j'étais : un voyeur devant un ordinateur, qui éjaculait son incapacité de vivre sur papier. Je me suis haï, pris de sueurs froides. J'étais à deux doigts de téléphoner à ma femme en pleine nuit, pour lui faire entendre ma voix, lui dire que tout irait bien. Espérant que, le lendemain matin, elle se réveillerait en pensant avoir rêvé.

Peut-être que moi aussi, j'espère que tout cela n'est qu'un rêve, que je vais me réveiller quelques années plus tôt, que cette sensation d'étouffement sera partie et que je pourrai vivre une vie normale, sans me soucier de ma condition, de ma vie, de ma mort. Mais non, les yeux grand ouverts, je suis l'ombre devant l'écran, fruit de mon obsession maladive, de mon besoin de connaître, de cette volonté de voir un peu ce qui se cache derrière les coulisses de notre vie. Fatigué, je m'endors dans une position inconfortable, sur mon bureau, le stylo à la main.

Vers 3 heures du matin, un mouvement dans la maison me réveille. Sophie. Le temps que je sorte de ma torpeur, elle est déjà assise dans son lit, un cahier à la main. Je comprends que c'est son journal intime. J'ignorais qu'elle en avait un.

Il faut savoir que je n'ai fait qu'installer mes yeux dans toute la maison, je n'ai jamais fouillé la chambre de mes enfants. C'est un contraste intéressant, assez paradoxal quand même. Quand j'étais là, je ne m'immisçais jamais dans leur vie et je n'en savais pas grand-chose… Mais là, c'est comme si mon absence justifiait mon intrusion.

Bien sûr qu'il était tentant de fouiller leurs chambres, mais je trouvais cela avilissant. J'avais probablement peur de ne rien trouver. Les gens sont tellement plus intéressants quand on croit qu'ils ont un secret.

À la vue de ce cahier, mes pensées bouillonnent. Ce journal intime, c'est la preuve d'un manque de communication. À mes yeux – et je me trompe peut-être –, on ne tient un journal que si l'on n'a personne à qui vraiment parler, à qui se confier. À ce moment-là, je n'ai qu'une envie, c'est d'entrer dans la tête de ma fille, pour savoir ce qu'elle est en train d'écrire.

Il est évident qu'elle parle de moi, de ma disparition, de ses peurs, de ses pleurs. Il ne faut pas longtemps pour qu'elle se remette à sangloter – quatre minutes, en fait. Je ne peux pas lire le contenu du journal dans lequel elle écrit, mes caméras n'étant pas suffisamment sophistiquées.

Alors je sais, à cet instant précis, que j'ai bien fait de commander un double de mes clés. À un moment donné, il me faudra mettre la main sur ses pensées. Je devrai retourner dans la maison, trouver sa cachette – facile, avec l'aide des caméras : il s'agit d'un des livres de sa bibliothèque parmi ses nombreux romans à l'eau de rose, dont une des couvertures en papier habille son journal – et, à nouveau, m'adonner au voyeurisme le plus primaire.

Je me demande pourquoi elle n'a pas écrit directement après s'être réfugiée dans sa chambre, après qu'on lui a annoncé ma mort. Pendant la soirée, elle est restée étendue sur son lit sans bouger, à contempler le plafond. Son inaction m'a paru normale. Chacun s'était enfermé dans sa bulle mais, en pleine nuit, peut-être qu'un rêve l'a poussée à l'éclater.

Au bout d'une demi-heure, son stylo semble s'arrêter au milieu d'une phrase. Elle ne trouve plus les mots, barre frénétiquement les dernières lignes et se recouche. Quelques reniflements, vite remplacés par un timide ronflement.

Je veux ce journal. Mais ce n'est pas pour tout de suite, chaque chose en son temps, bien que ce soit frustrant et tellement excitant. C'est comme si les clés de mon existence se trouvaient dans ses écrits. Comme si ses mots pouvaient effacer les miens.

Le tour d'écrou

Publié le samedi 23 janvier

La nuit reprend ses droits, le rideau reste suspendu et je vous vois au travers. Je vous vois, à vous délecter de mon voyeurisme, mais je sais bien que ma curiosité est partagée. Ce qui est intéressant, c'est que les internautes qui viennent se perdre ici sont eux-mêmes isolés devant leur écran et partagent mon occupation : la lecture des signes. Le besoin de comprendre. Écrire est l'acte le plus intime qui soit, c'est lui qui dévoile le processus de notre réflexion personnelle. Il est l'empreinte de notre esprit sur la feuille blanche, ce n'est rien d'autre que nous.

En me lisant, vous vous appropriez chacun de mes mots, l'un après l'autre, votre esprit y est attaché. Vous ne pouvez rien faire d'autre : la lecture ne se conjugue qu'avec la solitude. L'autre chose à relever, c'est que vous êtes les seuls avec qui je communique. Il y aurait bien le sourire un peu forcé de la caissière qui travaille où je me ravitaille, mais il s'évanouit vite.

J'ai l'impression que j'enferme mes visiteurs avec moi, mais ils n'y croient pas vraiment. Ils lisent les sourcils froncés, à force de douter de tout. Et ils s'arrêteront là, le doute arrachera leurs ailes, ils resteront trop terre à terre. Je les vois, ces lecteurs ; ils m'effraient. Cela me fait penser à la nouvelle *Le Tour d'écrou* d'Henry James. Dans ce récit, nous avons un narrateur un peu étrange, dont la parole est assez rapidement mise en cause. Il s'agit d'un homme qui se retrouve seul dans une grande demeure, avec deux enfants, et qui se met à voir des apparitions. C'est probablement la solitude qui lui fait avoir de telles visions, mais le narrateur tente de tout expliquer, il voit des « signes » partout et justifie sa folie, en quelque sorte. D'une manière assez étrange, cela influe sur le lecteur. Lui aussi va se pencher sur le texte, pour savoir ce qui est vrai, et va également distinguer des signes, des indices de la folie du narrateur. Au final, le personnage et le lecteur sont tout aussi névrosés l'un que l'autre par leur quête de sens. À partir du moment où ils doutent de la réalité, ils finissent par se méfier de tout, au point que rien ne leur paraît vrai.

C'est un peu la même chose, ici. Tout est tellement banal que tout paraît faux. Que ce soit dans le contenu ou dans ma manière de présenter mes observations, tout est creux, tout sonne faux pour celui qui pense que ce qu'il lit est impossible. Et je ne vais certainement pas apporter des preuves, me justifier ou autre, tout simplement car j'aime ce doute, j'aime cette névrose que je lis dans vos commentaires, j'aime cette volonté de faire sens, parce qu'elle me renvoie à ma propre petite personne, à mes obsessions, et je me dis qu'au final je ne suis pas seul.

Il est important de douter. Si l'on échouait sur mes mots en se disant : « Ah tiens, un type qui observe sa famille... Bah, il faut de tout pour faire un monde », ça serait effrayant.

Pourtant, si l'on y regarde de plus près, qui ne s'est jamais dit : « Je serais curieux de voir ce que mes proches pensent vraiment de moi » ? C'est une pensée très commune. La vraie question est de savoir ce qui fait basculer de l'autre côté de l'écran et rompre avec sa famille.

C'est probablement ça, le plus difficile à comprendre. Je ne compte pas l'expliquer, je pense que c'est déjà plus ou moins visible et que ça se révélera au fil de mes articles.

Je me suis un peu plus confié que prévu, sans offrir d'observations ; je pense que j'avais simplement besoin de parler.

Clichés

Publié le dimanche 24 janvier

À 7 h 15, le réveil de ma femme sonne. Seule sa main s'anime pour s'abattre sur la source du bruit. Le reste de son corps ne bouge pas encore.

À 7 h 19, elle ouvre les yeux, tourne seulement la tête vers mon oreiller vide et soupire en se cachant les yeux. Finit par se lever. Ira-t-elle au travail ? Ou est-ce juste le besoin de préserver une routine, seul élément de stabilité dans un monde qui s'effrite ?

À 7 h 20, le portable de Sophie vibre sur sa table de nuit, toujours plus matinale que

Thomas pour être la première dans la salle de bains. Elle l'éteint, allume la lampe de chevet et s'assied dans son lit, prostrée. Qu'attend-elle ? J'imagine qu'elle guette le moindre bruit, la moindre trace de vie, afin de savoir si se lever en vaut la peine. Mais elle n'entend rien et se recouche. Sophie ne se rendort pas et mes yeux restent fixés sur les siens, qu'elle ouvre et referme de façon régulière.

Thomas avait pris soin d'éteindre son réveil, d'étendre son sommeil.

Une fois sa douche prise, Patricia sort un unique bol d'un placard de la cuisine, bien consciente qu'un petit déjeuner familial n'est pas à l'ordre du jour. Dans le silence de la maison, Sophie entend le vrombissement du micro-ondes et décide de la rejoindre.

Pas de bonjour ce matin, un simple « maman… », auquel sa mère ne répond qu'en fermant les yeux.

Toutes les deux petit-déjeunent dans le silence, brisé par une question d'une banalité déconcertante :

« Tu vas au lycée aujourd'hui ?

– J'pense pas. Je n'ai pas envie qu'on me demande "Ça va ?" et… pfff, ça sera pas facile.

– Je téléphonerai pour prévenir ton lycée. Comme ça, tu n'auras pas d'explication à donner. »

Sophie lui demande pourquoi elle se lève si tôt et Patricia, dans un élan qui se veut rassurant, lui répond : « Malgré tout, la Terre continue de tourner et, même si c'est difficile, il ne faut pas baisser les bras. D'accord ? » J'ai l'impression que cette réponse ne satisfait pas Sophie. Je regrette qu'elle ne rétorque rien, ça aurait pu être intéressant. Les voir s'incliner ainsi face à la fatalité est fatigant.

Devant ce silence, Patricia poursuit, lui raconte qu'elle aussi a perdu son père et que, même si les circonstances étaient différentes, qu'il était bien plus âgé et qu'elle n'était plus adolescente, on peut vivre en perdant un proche, on ne le perd pas vraiment, il continue de vivre en nous… Elle aurait été parfaite si elle avait ajouté : « Un proche décédé continue de veiller sur nous. » Cela m'aurait fait sourire (jaune).

Cette note ironique aurait même été bienvenue, car les clichés qu'elle a débités m'ont désespéré plus qu'autre chose. Elle devrait savoir que ce genre de phrases bateaux, comme « La vie continue », c'est précisément ce qu'une adolescente de 16 ans ne veut pas entendre.

Mais après tout, que dire d'autre ? Une fois adulte, quand on a perdu ses amis d'enfance de vue, ou ses parents de vie, on sait qu'on se reconstruit toujours. Une ado ne peut pas vraiment comprendre ni croire cela, et sera même encline à refuser cette idée. J'admire ce refus du monde tel qu'il est, d'autant que cette résistance, qui s'étiole avec l'âge, nous désarme totalement. Est-ce que je tente de retrouver cette force ?

Notre capacité à surmonter la perte est belle et si cruelle à la fois. On ne pourrait vivre sans elle, mais ne fait-elle pas de nous des monstres ?

Patricia ajoute qu'elle reviendra pour midi, qu'elle doit informer ma caisse d'assurance maladie, remplir un bon nombre de paperasses au plus vite et commencer à organiser les obsèques. J'ai demandé à être incinéré.

Toutes ces corvées administratives donnent de la substance à mon absence, donnent corps à ma mort et rappellent ainsi à Sophie que je ne suis désormais qu'un souvenir. À cette idée, ses yeux se remplissent soudain de larmes et sa tête s'affaisse sous leur poids. Sa mère la serre fort dans ses bras. Je crois qu'elle pleure aussi.

Les mots creux

Publié le lundi 25 janvier

10 h 37, un léger *bip* me signale des mouvements dans la chambre de Thomas : il se décide enfin à se lever. Mécaniquement, il prend sa douche et son petit déjeuner, puis frappe à la porte de Sophie. Elle est une nouvelle fois allongée sur son lit, à écouter de la musique. N'osant entrer, son frère reste debout, maladroit, dans l'encadrement de la porte.

« T'es là ?

– Oui.

– J'peux entrer ?

– Vas-y.

– Tu vas pas en cours ?
– Non, pas aujourd'hui.
– Moi non plus.
– Ça va ? soupire-t-elle.
– Ouais… Si tu veux parler…
– Y a quoi à dire ?
– J'sais pas moi. J'sais pas plus que toi. C'est juste que, si t'as besoin, je suis là quoi. »

Une pause.

« T'écoutes quoi ?
– Deftones. »

Les larmes semblent avoir cédé la place à l'apathie. Un comportement propre à l'adolescence, où l'on ne veut pas montrer ses sentiments, de peur d'avoir l'air faible. C'est à cet âge-là qu'on se forge ce masque imbécile qui colle à la peau, celui qui répond automatiquement : « Oui, bien et toi ? », au « Salut, ça va ? » matinal.

Ce silence orgueilleux qui transforme en tabous les discussions touchant aux sentiments, on le voit bien, là. Ils ne parlent pas de moi, ils parlent de lycée et de musique, des choses de leur quotidien, les branches stables auxquelles ils peuvent se raccrocher.

Je suis un sujet qu'ils effleurent, sans oser y toucher véritablement. Mais après quelques minutes de discussion musicale et d'un silence d'une dizaine de secondes, Thomas tente timidement de relancer le sujet sans rien nommer :

« T'en as parlé à quelqu'un ? Par texto ?

– Non. À qui veux-tu que j'en parle, en même temps ?

– Je sais pas, tes copines… Moi non plus. Mais là j'vais envoyer un mail à mes potes, pour pas qu'il y ait de vieux blancs ou que certains fassent des boulettes.

– OK. Vas-y. Maman va revenir à midi au fait.

– Elle est partie faire quoi ? Bosser ? Aujourd'hui ?

– Non, des papiers.

– Ah OK… Bon ben… Alors, à tout'… »

Dialogue vide et bourré d'indices. J'ai toujours cru que mes deux enfants étaient proches, mais là l'incapacité à communiquer me saute aux yeux. Impossible de savoir si elle tient aux événements ou si elle existe depuis longtemps. C'est comme la remarque : « À qui veux-tu que j'en parle ? » Cette phrase m'a surpris. C'est vrai qu'on ne connaît quasiment rien des amies de Sophie, et je ne m'en suis jamais vraiment inquiété.

N'avoir personne à qui parler, n'avoir personne à qui confier son fardeau, c'est probablement l'une des tortures les plus raffinées au monde. Il se forme en nous, et ne dépasse jamais les frontières de notre crâne. Il faut une sensibilité et une empathie remarquables pour voir par-delà le masque du mutisme, et je n'ai rien de tout cela.

Cependant, j'ai les outils en main pour creuser dans sa solitude, pour m'y perdre, pour échapper à la mienne. C'est trop tard, hélas.

L'Évangile selon Thomas

Publié le mardi 26 janvier

Thomas s'installe à son ordinateur, Sophie s'étend à nouveau sur son lit ; le schéma m'est familier. Quand je rentrais du travail, c'est à cette image que je me heurtais souvent : le dos du fils et la surdité de la fille qui ne répond pas quand on frappe à sa porte.

J'ai toujours été curieux de savoir ce que mon fils pouvait bien faire sur Internet, où il passait des heures. Qui sait, il perd peut-être son temps à lire des histoires comme celle-ci. Je verrai ça sous peu.

Je rappelle que, grâce à des logiciels espions que j'ai installés sur son ordinateur, il m'est possible de savoir ce qu'il écrit. Pour l'heure, il ouvre sa boîte mail, reste quelques instants devant la page blanche puis se met à taper ceci :

Salut les gars, j'étais absent et vous l'avez remarqué, vu les textos que j'ai reçus et auxquels j'ai pas répondu. C'est juste que j'étais pas d'humeur alors je vais faire bref, parce qu'en parler me fout déjà le cafard. Hier, mon père a eu un accident et est décédé.

M'appelez pas, me répondez pas, m'envoyez pas de textos. J'serai pas sur Internet non plus. C'est sûrement très con, mais j'ai pas envie d'en parler, je préfère éviter le sujet. Comprenez-moi SVP. Donc demain, j'reviendrai sûrement en cours, j'aurai sûrement pas le moral, mais c'est pas une raison pour vous faire bader toute la journée.

Restez comme vous êtes, faites-moi rire avec vos conneries, vous me remonterez certainement plus le moral qu'avec des « condoléances » qui veulent pas dire grand-chose. A+

La maturité du message me surprend. Premièrement, et c'est certainement très idiot comme remarque, j'étais persuadé que tous les jeunes écrivaient en « langage SMS ». C'était une des raisons pour lesquelles j'avais tendance à regarder mon fils de haut.

En amoureux de la littérature – qui comble les heures lorsque la maison est vide et qu'il n'y a rien à observer –, j'avais toujours cette impression que Thomas pervertissait les mots à chaque fois qu'il utilisait son clavier. Mais au final, vu le ton de son mail et son propos, je me suis trompé.

« Faire comme si de rien n'était », voilà la solution qu'il s'est imposée. Éviter le sujet. Reste à savoir s'il fait cela pour mieux s'approprier ma mort, ou pour mieux la fuir. Le comique de la situation est qu'il a envoyé un mail extrêmement sérieux à des adresses fantasques, bourrées de surnoms, de chiffres et de dates de naissance.

Thomas passe le reste de la matinée sur Facebook à consulter des profils à la vitesse de l'éclair et sur des forums de jeux vidéo, qu'il parcourt sans participer.

Je décris en très peu de mots ce qui l'a occupé pendant un peu plus d'une heure. Il a aussi fait une recherche Google : « réactions décès parent », sans cliquer sur un seul des résultats.

Observer Sophie me met plus mal à l'aise. Même en la regardant, j'ai du mal à m'imaginer dans quelle atmosphère elle vit. Ses écouteurs vissés aux oreilles, elle s'emmure de sons et je n'entends rien d'autre que sa respiration. Parfois, un discret soupir.

À 11 h 8, elle se lève de son lit, s'installe à son bureau et se met à feuilleter des cours, le regard vide ; il oscille entre ses classeurs et la fenêtre. Dehors, il fait gris. À travers mes fenêtres aussi.

Hors-champ

Publié le mercredi 27 janvier

À 12 h 4, Patricia est de retour. Thomas entend la porte claquer et descend dire bonjour, embrassant sa mère sur la joue. Ce bisou providentiel, et semble-t-il spontané, ne l'empêche pas de lâcher un maladroit « Ça va ? » auquel Patricia ne répond pas.

Je me demande à quand remonte mon dernier bisou. À une époque, les deux enfants venaient nous embrasser avant d'aller se coucher ; j'essaie de me rappeler quand cette habitude s'est éteinte. Est-ce que ce genre de choses se fait du jour au lendemain ? Le quotidien nous aveugle-t-il à ce point que nous ne nous rendions pas compte de notre embourbement et de notre isolement ?

« On pourra voir papa ? ». La nouvelle question m'a soulevé le cœur ; je n'en ai pas compris le sens réel, de prime abord. Il était évidemment question de voir mon corps. Voir un corps, voir la mort, ou plutôt l'absence de vie. Je croyais que c'était la phrase naïve d'un enfant qui ne comprend pas quand on lui dit : « Papy est là-haut, maintenant. »

À ce moment, Sophie descend les escaliers et rejoint les deux autres. « Non... a finalement répondu Patricia. Il est méconnaissable, je préfère que vous gardiez le souvenir que vous avez de lui, plutôt que cette image. »

Je crois savoir ce qu'ils avaient en tête, chacun de son côté, à cet instant précis. Plongés dans un soudain silence, ils pensaient à la dernière fois qu'ils m'avaient vu, aux derniers mots qu'ils avaient prononcés pour moi, et probablement à tout ce qu'ils regrettaient de ne m'avoir jamais dit. Ces choses-là, j'y avais réfléchi moi-même, avant de passer à l'acte. C'était difficile de résister à la tentation d'avoir de « grandes discussions », mais cela aurait rendu la chose suspecte. Du coup, évidemment, nos derniers mots sont dénués de sens mais, au moins, ils nous ressemblent. Le plus dur a été de dire à ma femme « À ce soir » ce matin-là. Tous trois ont le temps de plonger dans ces souvenirs déjà flous, mais pas celui de s'y noyer : Patricia leur propose d'aller déjeuner en ville et de faire un tour. Ils se préparent en quelques minutes, et quittent mon champ de vision. Je me sens abandonné.

Ce sont les premières heures que je passe seul avec moi-même. Les premières heures de tant d'autres à venir. Quand le quotidien sera de retour, la maison sera vide au moins la moitié de la journée, sauf pendant les week-ends. Il s'agira alors de profiter de ce temps libre pour regrouper mes notes, en extraire un peu de sens, et m'occuper tant bien que mal.

Vers 18 heures, ils reviennent tous, chacun portant un sac de courses à la main. Les visages ne sont plus aussi pâles et figés. Prendre un peu l'air leur a visiblement fait du bien et j'aimerais savoir de quoi ils ont parlé. Au moment de franchir la porte, il était question du lendemain, Thomas a fait savoir à sa mère qu'ils souhaitaient, sa sœur et lui, retourner en cours : « Ça nous fera penser à autre chose. » Sophie, elle, a suivi le mouvement sans intervenir.

Ils déballent les courses et retournent à leurs positions habituelles : Thomas à l'ordinateur, Sophie entre le bureau et le lit, et Patricia au bureau de notre chambre, le nez dans les papiers.

Déjà, l'habitude a repris ses droits : ils ont pensé à moi, ils m'ont regretté je crois, et ont certainement regretté de n'avoir pas plus profité de ma présence. Malgré tout, aujourd'hui, rien n'a changé.

Graine de dégoût

Publié le jeudi 28 janvier

Rien n'a changé. Toute la vie, on attend que quelque chose se passe, mais rien n'arrive jamais. On meurt, et rien ne survient après non plus. Jamais rien. J'espérais qu'en observant cette vie plutôt qu'en la vivant je parviendrais à en tirer un sens, quel qu'il soit. Ce que je vois m'attriste plus qu'autre chose.

Il ne se passe rien, parce que c'est au quotidien qu'on stérilise le monde, qu'on castre nos sentiments, qu'on fait tout, en fait, pour ne pas vivre.

Les voir tous les trois ainsi me répugne, ce n'est plus ma famille, juste des coquilles vides lâchées entre quatre murs, en pilotage automatique. Le fils absorbé par son écran, la fille flottant comme une carpe amorphe. La femme plongée dans ses préoccupations, celles qui se renouvellent sans arrêt depuis les factures jusqu'aux impôts, sans compter le temps qui passe et ma disparition, et formant une infime partie de la liste de tracas du quotidien qu'elle se crée, toujours plus longue et dont chaque mot rayé est remplacé par un autre. Beau portrait de famille.

Mais pouvait-il en être autrement ? C'est en vivant parmi eux que ce dégoût m'a étouffé, jusqu'à me pousser à la fuite. Au fond, peut-être que toute cette mascarade n'était pas un moyen de mieux comprendre mes proches, mais de mieux m'isoler du monde.

Je suis dans mon cocon, ça sent fort, je n'en suis encore jamais sorti, je ne me suis même pas encore lavé. Je compte sortir le moins possible ; mes volets sont fermés, je vois surtout la lumière du jour à travers les caméras qui donnent sur des fenêtres.

Peut-être que c'est ça, ma petite mort à moi : ouvrir les yeux bien grand sur le monde tel qu'il est, et m'en gaver jusqu'à l'overdose. Pas besoin de caméra ou de micro pour savoir ce qui se passe. En quatre lettres : rien.

C'est effrayant, quand je me relis c'est comme si j'avais espéré qu'ils soient anéantis par ma mort. À ce moment-là, j'aurais eu la confirmation qu'ils m'aimaient. Ai-je besoin de ça pour le savoir ? C'est juste que ma disparition semble si normale, convenue, attendue... Ils sont revenus, ont passé leur soirée comme d'habitude, se sont couchés comme si de rien n'était.

Mis à part le malaise des premières minutes passées dans l'angoisse d'avoir à s'expliquer devant un ami ou un collègue, demain sera un jour comme les autres. Le pire dans tout ça, ce n'est pas que les gens agissent comme si je n'avais pas disparu, mais de constater que tout se passe comme si je n'avais jamais existé. Circulez, y a rien à vivre !

Jour 3. Patricia

Publié le vendredi 29 janvier

Pour la suite, l'idée est de décrire la même journée, en changeant de point de vue, afin de se concentrer sur des détails qui peuvent faire sens, mais qui n'en ont probablement aucun. Il s'agit de la journée d'hier que je vais décrire de façon chronologique puisque, comme c'est parti, elles vont toutes se ressembler.

Concert de réveils, dont l'ouverture se fait par celui de Patricia, à 7 h 15. La journée commence, réglée à la minute.

On se levait ensemble, avant, je préparais le café et la table du petit déjeuner pendant qu'elle s'apprêtait pour le travail. Douche, habillage et maquillage passaient toujours avant nos premières discussions du matin. Ça, ce sont probablement les changements dont elle n'est pas encore consciente.

Une question intéressante se pose : va-t-elle, dans les jours suivants, alors que le nombre de choses qu'elle aura à effectuer va augmenter, continuer à programmer son réveil à 7 h 15, histoire de garder malgré tout ses habitudes ? Ou bien va-t-elle l'avancer d'une dizaine de minutes, en prenant en considération ma disparition et tout ce qu'elle engendre ? Ce genre de petits détails futiles m'intéressent au plus haut point.

Patricia, après avoir pris sa douche, prépare seule son café et regarde l'heure. Ça n'aura pas une incidence énorme, mais je ne peux m'empêcher de me dire qu'à ce moment-là elle se rend compte que certains « petits riens » vont évoluer. Hélas, observer ne me permet pas de lire dans les pensées ni d'éviter de surinterpréter les attitudes.

Au moment où Thomas et Sophie quittent la maison, Patricia se précipite vers eux, les embrasse et leur dit : « Un bisou quand même ? Ne vous en faites pas, on se voit ce midi. »

Avant de partir, elle s'assied quelques minutes sur le canapé, pousse un long soupir accompagné d'un « Allez ! » et file à son tour.

Dans la maison, on n'entend plus que le frigo qui ronronne en attendant son heure, 12 h 30.

Les deux enfants reviennent avant leur mère, mais il semblerait que celle-ci soit la seule capable d'ouvrir le réfrigérateur.

À 12 h 38, Patricia apparaît, prépare le déjeuner et appelle les enfants. Personne apparemment n'est d'humeur à parler, alors on regarde les jeux télévisés, on répond aux questions évidentes, on dit qu'on ferait mieux à la place des candidats, on critique le présentateur… Je remarque que Patricia jette des regards inquiets en direction de Sophie.

On ne se parle pas. Qui éteindra la télévision à ma place, désormais ? Le bruit remplit l'espace, résonne et déraisonne, tout sonne creux. Même une fois la table débarrassée et les enfants retournés dans leur chambre, la télévision continue sa mélopée.

Patricia prend son café, seule devant les informations. Ils ne parleront pas de moi, mais elle y pense, je crois. Elle est face à toutes ces nouvelles qui la concernent de trop loin et elle les compare à moi, à ma mort, en sachant que ça n'ira jamais au-delà des lignes du journal local. Tout paraît si vain, Patricia. Ta vie, comme la mienne, n'a aucune importance, et c'est ce poids-là, de l'anonymat, de ta vacuité, que tu dois porter quotidiennement sur les épaules. T'en rends-tu seulement compte ? C'est ce constat qui m'a mené ici.

L'horloge tourne. Si une réflexion avait été lancée, elle aurait vite été noyée dans les flots du temps et des obligations. Le travail, quelques bisous, des « à ce soir ».

Il est 17 h 47, tout est toujours bien réglé, Patricia pose son manteau et son sac dans l'entrée, et se dirige vers la cuisine. Thomas est déjà là, à regarder la télé.

Pas de réflexion désobligeante aujourd'hui, juste un « Ça a été ? », suivi d'un « Sophie est rentrée avec toi ? Ç'a été aussi pour elle ? »

Elle monte voir sa fille, déjà en train de faire ses devoirs. Encore une fois, les mêmes questions. Mais voyant que Sophie ne renvoie qu'un faible écho à ses questions sans lâcher son stylo, Patricia fait demi-tour en direction du salon, où elle végète jusqu'à l'heure du repas.

Préparation du dîner, toujours bercée par la télévision. Nous ne l'allumions jamais aussi tôt, avant. Sûrement était-ce parce que j'étais là pour bavarder avec Patricia. Aujourd'hui, le son est omniprésent, elle semble avoir besoin d'une voix. Le silence, c'est ce qu'elle ne veut surtout pas affronter, ça serait une preuve de mon absence. Alors on comble le vide par celui des mots télévisés, qui ne lui parlent pas vraiment. Elle crie : « À table ! » et les enfants, comme des chats dont on fait tinter la gamelle, descendent pour se repaître.

Patricia, dans son bon rôle de mère, trouve un sujet de discussion parfait : « Vous avez pu rattraper tous vos cours ? » S'ensuit une discussion sur un des profs de Thomas, qui l'a accueilli sèchement car il avait manqué un contrôle. Sa mère lui dit qu'il a bien fait de ne pas s'énerver, mais que ce genre de situation ne devrait pas durer.

Malgré le sujet de fond en lien avec mon absence, Patricia semble contente : le repas est animé, les deux enfants ont trouvé l'opportunité de critiquer chacun son tour des enseignants. L'ambiance est… vivante. Cela ne les empêche pas de s'isoler à nouveau une fois le dîner terminé. Comme si le repas était le seul moment de la journée que l'on pouvait décemment passer ensemble. Chacun a quelque chose de plus important à faire que de communiquer, je suppose.

Seule, Patricia remplit quelques papiers à son bureau, donne et reçoit quelques coups de fil de proches en rapport avec mes obsèques, puis s'affale devant la télé. Ce soir, l'écran a consumé tout son temps, ça nous fait un point commun.

Thomas vient lui dire bonne nuit à 22 h 49, ce qui la sort de ses pensées et l'oblige à se lever du canapé. Elle se démaquille, se brosse les dents pendant une minute et sept secondes, puis se couche, sans aller voir Sophie. Quel(le) vi(d)e.

Jour 3. Thomas

Publié le samedi 30 janvier

La mélodie de Pac-Man crève les rêves, il est 7 h 35 et le téléphone portable de Thomas s'agite sur la table de nuit. Il pousse un grognement, se lève dans l'obscurité pour allumer son ordinateur. Pendant le démarrage, il va voir si la salle de bains est libre, saisit les premiers vêtements sur une pile, qu'il jette au pied de la douche avant de s'y engouffrer.

Il descend dans la cuisine, sa mère vient de finir de déjeuner. « Je suis en retard, il faut que je termine de me préparer », dit-elle. Sa sœur, jusque-là attablée, remonte dans sa chambre, sans dire un mot. Le voilà tout seul, en compagnie toutefois de la télé qu'il allume. Un bol de chocolat chaud et des céréales devant les dessins animés, pendant six-sept minutes.

Il monte se brosser les dents, vérifie ses mails. Il n'a rien reçu entre minuit et 8 heures, il attend alors que sa sœur soit prête pour partir. Quelques minutes disparaissent dans le vague. Sophie apparaît et se poste dans l'encadrement de sa porte, sans rien dire, mais le signal est clair : il faut y aller. Ils n'ont pas encore échangé un seul mot ce matin.

Au moment où ils quittent la maison, Patricia se précipite vers eux et les embrasse. Thomas semble gêné par cet élan d'affection et répond : « Ça va aller maman… » sur un ton peu convaincant.

12 h 17, Thomas revient du lycée. Il ouvre la porte, pose son sac dans l'entrée et monte consulter ses mails et son compte Facebook. D'où lui vient cette habitude ?

Les trois quarts des personnes à qui il parle sont des amis de lycée, qui sont en cours avec lui. Est-il désespéré au point d'attendre qu'un quelconque signe lui vienne d'Internet ? Mais non, aucun message, ce qui n'a rien d'étonnant. Pourtant, il semble être déçu.

Sa mère arrive mais il ne la rejoint pas ; il attend qu'elle dise que le déjeuner est prêt pour descendre. Une fois en bas, il s'empresse d'allumer la télé et de s'immerger complètement dans le jeu qui est diffusé, en tentant de répondre à un maximum de questions.

Le repas est pour lui quelque chose de totalement acquis, d'évident : aucun compliment à sa mère, ni remerciements, ni excuses d'être resté dans sa chambre. Il l'aide à peine à remplir le lave-vaisselle, et s'éclipse dès que possible. À nouveau, sa sœur vient le chercher pour qu'ils partent ensemble au lycée. Tout se fait sans mot.

À 17 h 19, Thomas rentre seul, jette son sac sous la table, se prépare un bol de céréales et regarde les dessins animés. Se rend-il seulement compte qu'il recrée les conditions dans lesquelles il a appris la nouvelle ? Son attitude ne trahit pas d'angoisse, il a ses habitudes auxquelles il n'accorde pas plus de sens qu'avant ma mort.

« Comment s'est passée ta journée ? », demande Patricia. Peut-être croit-elle, comme moi, que ce jour a été particulier. « Bah ç'a été, comme deux heures de maths, quoi. Même si ça en paraissait quatre… Ah oui, Sophie avait un truc à faire au CDI, je ne l'ai pas attendue. Elle est arrivée y a deux minutes. On n'a pas trop parlé, mais ça avait l'air d'aller. »

Sa mère part donc s'entretenir avec Sophie, espérant qu'elle soit plus bavarde. Lui finit son bol et récupère son sac qui échoue au pied de son bureau, il ne sera pas ouvert ce soir, pour cause de week-end. Encore une fois, il vérifie ses mails.

Toujours rien. Il se connecte à MSN, Facebook, Twitter, toutes les vitrines de sa propre vie, où il n'affiche que l'image qu'il aimerait avoir de lui-même. Parmi les quelques dialogues remplis de vide, une discussion retient mon attention. À 18 h 3, une personne le contacte et, d'après leur discussion, j'en viens à comprendre qu'il s'agit de Florian, son meilleur ami.

Apparemment, ils ont « brisé la glace » au lycée concernant ma disparition. Après avoir parlé de cours et de jeux vidéo – leur quotidien me paraît si restreint –, Thomas dit à son ami qu'il craint le repas à venir, que les derniers étaient étouffants de silence, que sa sœur ne l'aide pas vraiment et que tout ça le met mal à l'aise. Florian lui demande de quoi nous parlions d'habitude, la réponse est évidemment facile : Sophie et Thomas parlaient de leurs cours et, quand ce n'était pas le cas, Patricia et moi parlions boulot. Alors Florian lui dit qu'il n'a qu'à parler des cours, comme d'habitude, et que le reste viendra.

Durant le repas, Thomas parvient à trouver un sujet facile, se montrant critique. Les mots viennent toujours plus facilement quand on s'en prend à quelqu'un.

Son professeur de mathématiques lui a reproché son absence, qui tombait le jour d'un contrôle prévu de longue date, mais malgré tout Thomas a réussi à garder son calme en se répétant : « S'il savait… » Ces mots faisaient de son professeur un ignorant et le mettaient, lui, dans une position dominante.

« S'il savait », c'est le dilemme de l'ignorance, la joie d'avoir plus d'informations que l'autre et d'en profiter pour se jouer de lui. Au lieu de dire les faits, il s'est contenté d'un « S'il savait » mental, et j'imagine qu'au fond ça lui a plu. Moi-même, en les observant, je ne peux m'empêcher d'y penser.

Sa volonté de combler le vide par les mots ne va pas plus loin que le bout de son assiette et, celle-ci terminée, Thomas retourne dans ses quartiers où il va passer la soirée à totalement livrer son esprit à Internet.

À 22 h 35, alors qu'il est en train de parler à plusieurs personnes en ligne, et sans que le moindre indice ne permette d'imaginer ce qui va suivre, il se lève et va chercher un mouchoir. Sans fermer les dialogues en cours, il ouvre une autre fenêtre, sur un site de pornographie. Il commence à visionner une vidéo tout en « parlant » avec ses contacts puis, j'imagine, à mesure que l'excitation vient, leur dit bonne nuit, pour mieux se concentrer.

À 22 h 46, Thomas éteint son ordinateur, va aux toilettes pour jeter son mouchoir, ne tire pas la chasse, ne se lave pas les mains et descend souhaiter une bonne nuit à sa mère.

Il remonte, urine, tire la chasse, se brosse les dents pendant trente-sept secondes, se déshabille et se couche.

S'il savait.

Jour 3. Sophie

Publié le dimanche 31 janvier

Un bruit de perceuse : c'est le téléphone portable de Sophie qui convulse sur la table de nuit. Sans hésitation, elle allume la lumière, se lève et ouvre les volets. Elle flotte jusqu'à la salle de bains, avec une fluidité presque fantomatique. Son petit pyjama blanc lui donne une allure spectrale. Son corps est dans le monde, mais sa tête semble encore dans le sien.

Douche silencieuse, tête baissée, petit déjeuner les yeux plongés au fond du bol, on pourrait la croire sous antidépresseurs ; je ne l'ai pas vue en prendre.

Elle partage la même table que sa mère, sans bruit, sans esquisser de gestes autres que ceux nécessaires pour engloutir la nourriture au plus vite. Les céréales à peine avalées, elle se lève, débarrasse et quitte la cuisine.

Patricia finit de tartiner son pain, elle n'a rien osé dire. Dans l'escalier, Sophie croise son frère mais l'ignore également. C'est sur son lit qu'elle se régénère, en musique.

Je serais curieux de savoir ce qui peut lui insuffler une telle énergie. Son visage s'éclaire un peu, elle semble enfin revenir à la vie. Je l'ai même entendue fredonner une mélodie.

Avec sa mère, on a souvent critiqué cette manie d'être toujours reliée à son baladeur, on lui disait qu'elle s'isolait du monde. En fait, il semblerait que ça soit plutôt une fenêtre d'évasion, pour elle. Les vingt premières minutes de cette journée, elle semblait asphyxiée, comme puisant dans ses réserves d'oxygène et sur le point de suffoquer. Cette musique, c'est une bouffée d'air pur dans son univers, qui lui permettra de respirer durant sa prochaine plongée dans la réalité.

Dès que son réveil affiche 8 heures, elle enlève ses écouteurs – elle ne semble pas avoir attendu la fin de la piste, ou bien il s'agit d'une coïncidence parfaite –, prépare son sac et appelle son frère, en silence. En route.

Au moment de quitter la maison, Patricia se précipite vers eux et les embrasse. Cela fait sourire Sophie, elle paraît apprécier et murmure quelque chose que la voix de Thomas m'empêche d'entendre. J'aime croire qu'elle a dit à sa mère qu'elle l'aimait. C'est en tout cas le premier son qui sort de sa bouche, ce matin.

À 12 h 24, Sophie arrive, les écouteurs dans les oreilles. Sans les quitter, elle va s'allonger sur son lit, jusqu'au repas, silencieux pour elle. Elle mange et n'en tire vraisemblablement pas de plaisir particulier. Ses yeux se posent parfois sur la télé, pas son regard.

Son comportement n'est relevé par personne. Aucun : « Mais qu'est-ce qui ne va pas ? », une question d'habitude inévitable lorsqu'on passe plus de trois minutes en compagnie d'un autre qui ne dit mot.

Elle retourne dans sa chambre, prépare ses affaires pour l'après-midi et s'arrête un instant devant l'étagère où est dissimulé son journal intime, sans le sortir. Elle se dirige vers la chambre de son frère, frappe à la porte et attend qu'il attrape son sac pour descendre l'escalier.

Sophie revient du lycée peu de temps avant l'arrivée de sa mère. Elle feuillette un livre dont je ne parviens pas à lire le titre. Elle pose l'ouvrage, s'installe à son bureau et commence à faire ses devoirs bien que ce ne soit que le début du week-end.

Je crois n'avoir jamais été aussi studieux. Mais peut-être s'agit-il plus pour elle de se débarrasser du travail plutôt que de s'y consacrer totalement. Ainsi, elle aura son week-end de libre. À quoi faire ? Au moment où Patricia franchit la porte de sa chambre, Sophie fronce les sourcils et se ferme totalement. Elle agrippe son crayon, comme pour montrer que « ce n'est pas le moment », qu'elle est occupée. Pour bien le signifier, elle répond aux questions de sa mère par de simples « oui » et « non ». Patricia se replie assez rapidement et les sourcils de sa fille restent froncés plusieurs minutes.

Lorsque arrive l'heure du repas, Sophie, jusque-là hermétique aux efforts des deux autres, semble enfin de connivence avec la mascarade familiale. Elle critique quelques professeurs, certains de ses camarades et commente l'ouverture du trimestre d'athlétisme. Malgré tout, son besoin de musique l'a poussée à vite se retrancher dans sa chambre, où elle passe une partie de sa soirée à lire.

Peu après 22 heures, elle se saisit de son journal intime, se couche, le pose sur ses genoux, réfléchit un instant, puis se met à écrire sans discontinuer. Huit minutes, exactement, pendant lesquelles je reste immobile à fixer les pages que je ne peux pas atteindre.

Au fur et à mesure qu'elle griffonne, elle se ferme, se recroqueville jusqu'à ce qu'une véritable implosion se produise. Sophie rature d'abord un petit élément, puis la page entière, retrousse les manches de son pyjama, et commence à se griffer l'avant-bras de la plume en sanglotant des « putain, putain, putain… ».

Les coups de stylo se font de plus en plus nerveux, violents, et sur son bras le rouge de la peau maltraitée se mêle au noir de l'encre. Elle contemple un instant le résultat de son geste. Abaissant sa manche droite, elle sort de la chambre et s'enferme dans la salle de bains pour passer son bras sous l'eau.

Quelques griffures rougeâtres peu profondes strient la peau. L'origine de cette pulsion, ce sont les mots qu'elle n'a pas su écrire, pas même pour elle-même, et l'incapacité à communiquer qu'elle a gravée dans sa chair. Que faire quand même notre journal intime ne nous entend pas ? Et depuis combien de temps est-elle comme cela ?

Je reste là, devant ce désastre, à me répéter : « Je n'y peux rien, ce n'est pas ma faute », comme un gamin qu'on aurait pris la main dans le sac. Je n'y peux plus rien.

Jour 3. Point final

Publié le lundi 1er février

Trois quotidiens, trois routes parallèles qui comportent les mêmes étapes sans se croiser jamais. Quand on vit ces moments, on ne s'en rend pas vraiment compte et, à vrai dire, on n'y prête surtout aucune attention. Ou, si cela nous vient à l'esprit, c'est une pensée vite chassée. Quelques face-à-face, mais aucun échange ; vient toujours le moment où l'on tourne les talons pour revenir à sa petite solitude bien confortable. Mais l'est-elle vraiment ?

Chacun a soif de soutien, de parler, mais tout se fait en surface. La mère tente de se rassurer, elle aimerait constater que la structure familiale est encore solide.

Le fils a apparemment besoin d'un ordinateur qui fonctionne et de rien d'autre. Sa vie tient sur son écran, est forgée sur une existence virtuelle qui n'est que le prolongement de son quotidien de lycéen : plein de bruit, mais dénué de signification.

Pour la fille, c'est une autre histoire. Je ne peux m'empêcher de me voir en elle, au travers d'elle, tant elle semble transparente, tant son silence résonne en moi. J'ai besoin des mots de Sophie. Je l'observerai ainsi tout le week-end et, dès lundi, en prenant mes précautions, j'irai photographier le contenu de son journal. D'ici là, je vais m'ennuyer en leur compagnie. Je ne vais pas écrire mes observations de cette fin de semaine comme je l'ai fait jusqu'à présent, cela reviendrait à écrire ce qui a déjà été lu.

Les prochains articles devraient donc être plus concis, se concentrant sur des événements ou constatations particulières. Je verrai, c'est encore ce que je fais le mieux.

15, Beasley Street

Publié le mardi 2 février

Qui s'ennuie le plus ? Celui qui vit le néant ou celui qui le voit ? Je sais en tout cas qui en est le plus fatigué et je ne peux résister à l'envie d'écrire le vide de ce week-end, tant celui-ci est parlant. C'est l'instant où le travail s'arrête, où les obligations du quotidien sont suspendues, ce qui permet au néant de régner.

C'est amusant de voir ses enfants grogner toute la semaine contre le travail qu'ils ont à faire, alors que ces obligations les maintiennent debout, sans qu'ils s'en rendent compte. Sans elles, ils seraient ces individus dénués de vie, végétant devant leur écran ou sur leur lit. Je dis que c'est « amusant », mais au fond je trouve cela tragique. Même leurs amis ne semblent pas les attirer vraiment ; il y a l'école pour se voir.

Non, le week-end, on est heureux de s'isoler, de faire « ce qu'on veut ». C'est-à-dire ? Rien. Le temps passe comme l'ombre, rien n'est produit, rien n'est appris, la terre a tourné sur elle-même, et eux aussi. Dans l'idéal nietzschéen, l'éternel retour consiste notamment à vivre sa vie de façon à désirer que demain soit comme aujourd'hui et, à voir ma famille, j'aimerais pouvoir dire qu'ils ont atteint un tel niveau de sagesse.

C'est le paradis du sociologue, l'enfer du voyeur, une année entière s'est déroulée devant mes yeux en deux jours ; chaque journée est identique à la suivante, il n'y a pas d'action, juste de petites tragédies. C'est la vraie vie, je me répète autant qu'eux et cela ne montre qu'une chose, je m'ennuie comme eux. J'espère que vous aussi.

Les funérailles

Publié le mercredi 3 février

C'est aujourd'hui que mes restes seront consumés. J'ai une terrible envie : assister à mes funérailles, de loin, une opération cependant bien trop dangereuse. Alors je profiterai de cette journée pour récupérer le contenu du journal de ma fille, seul moyen d'aller par-delà l'écran, de pénétrer ses pensées. C'est assez intéressant comme parallélisme : d'un côté on brûle mes restes, de l'autre je retourne dans la tombe de mon ancienne vie, le caveau familial.

De retour dans mon observatoire, j'ai visionné les enregistrements de la journée.

Je me suis regardé entrer dans la maison, tremblant d'excitation au moment de tourner la clé. Je me suis vu errant dans chacune des pièces, prenant mon temps pour m'imprégner de ce que j'avais quitté.

On a tous déjà éprouvé ce sentiment, lorsqu'on retourne dans un endroit où l'on a vécu, quand on sait qu'on n'y reconstruira plus jamais rien : d'être étranger à une terre qui était autrefois la nôtre.

J'étais là à voguer, à considérer sous un troisième angle une demeure dont je connaissais par cœur les entrailles. Mais la crainte a vite repris le dessus, alors je me suis dirigé vers la chambre de ma fille et j'ai jeté un œil à la couverture du livre que Sophie avait emprunté au CDI la veille. *L'Étranger*. J'ai trouvé la coïncidence amusante, chercherait-elle à justifier le manque d'émotion de ma famille en ces temps difficiles ?

Je me suis saisi du journal de Sophie, ai photographié chacune des pages, et suis reparti. Tout s'est déroulé en vingt-trois minutes. Je suis revenu ici, j'ai lu cela, écrit ceci. Je me suis plongé dans un malaise adolescent, auquel j'avoue avoir du mal à compatir. On a tous eu ces pensées noires, ce mépris du monde un peu naïf, cette volonté de vivre « différemment » ; ce qui me gênait un peu dans ses mots, ce n'était pas leur sens, mais leur utilisation. Tout était écrit sous l'impulsivité, rendant l'ensemble assez indigeste. Mais lire un journal, cela n'a pas de sens. Un journal ne vit que par l'écriture, toute lecture en est la destruction. Qui n'a jamais eu honte en relisant ses propres mots ? Surtout ceux emplis d'émotions ? Ils n'ont de sens que sur l'instant. Malgré tout, et cela me fait mal de le dire, cela m'a permis de considérer ma fille sous un autre jour.

Pourtant, jamais personne ne livrera son intimité. C'est dans la violation que se crée une réelle empathie. Fermez les yeux, et imaginez un instant entrer par effraction dans le crâne d'un proche, pour en dérober les pensées.

Cessez de me lire, et pensez-y. Ne parcourez pas la suite, ne faites pas la même erreur que moi. Mais si vous imitez mon choix, j'aimerais que, tout comme pour moi, la lecture de cette lettre soit motivée par l'envie ardente de savoir, par la pulsion irrépressible dont on a honte après coup. L'amertume n'en sera que plus savoureuse.

Requiem pour un con

Publié le jeudi 4 février

Papa,

J'ai toujours critiqué les gens qui parlent aux morts. Eh ben je me rends compte que c'est pas le fait de parler aux morts, les gens font ça pour libérer certaines émotions. C'est tellement dur, tu sais. Je pense à toi, je n'arrive toujours pas à réaliser. Je te revois, je te revois râler, ton mécontentement, je te revois embrasser maman… J'entends ta voix, j'entends tes passions. Puis j'ouvre les yeux, et tu n'es plus là… Tu me manques affreusement, et personne ne le comprend. Alors c'est dur. Les gens ne comprendront pas. Ils vont juste trouver ça triste, ils vont se taire, comme pour s'incliner devant la vie.

Oui, la vie. Ils diront « C'est la vie ». Ils croiront que c'est triste, alors que c'est tragique... S'ils savaient... S'ils savaient à quel point je t'aime. Si seulement ils pouvaient comprendre ça...

Mais personne ne comprend rien. On pourra me traiter de niaise, de chochotte, on pourra dire que je mens, que j'exagère... J'en ai rien à foutre. La douleur, je la sens. Le manque, je le sens. Ton image, je la vois. Ta voix, je l'entends. Ça ne fait que quelques heures, mais déjà ma vie a perdu un peu de sa vitalité, et je le ressens bien.

Mon entrain s'est évaporé, ma motivation aussi et ma confiance en moi a disparu. Je peine à ne pas détester mon image dans le miroir, et je doute de tout à chaque instant. Hier, c'était très différent. Hier, tu étais là. Hier, je savais où j'allais, tout était stable, et les gens me connaissaient grâce à toi.

Aujourd'hui, sans toi, je ne suis plus « que » moi, et c'est tellement peu... Je n'ai rien à donner à quiconque, rien à partager. Ma folie, mon immaturité, mon côté extraverti, tout ça s'est envolé, pour ne devenir qu'une brique qui désire s'enfermer mentalement et physiquement pour ne se concentrer que sur ce qu'il y a de pur et de vrai en ce monde. « Depuis que je suis loin de toi, je suis comme loin de moi », disait l'autre. Tu étais sans aucun doute une partie de ma vie et une partie de moi, qui s'est éteinte avec toi. Pour raviver la culpabilité et la douleur. J'ai tellement envie de te prendre dans mes bras, te chatouiller, t'embêter…

Dans quelques semaines, on me dira de ne plus y penser. Mais merde… Ça fait chier. Ça fait mal… Tu ne sauras jamais à quel point je regrette, à quel point je t'ai aimé, à quel point tu comptais pour moi, à quel point ta vie m'était chère. Tu étais plus qu'un père, tu étais le seul qui me comprenait, avec ta personnalité, tes habitudes, ton regard, ta solitude… Tu étais une personne à part entière, même si ça peut paraître absurde et évident. Tous les autres sont des figurants. Tout me manque. Tout… Jamais je ne pourrai t'oublier, tu as eu trop d'importance dans ma vie pour ça. Tu méritais tout l'or du monde, ta fille t'aimera toujours comme elle t'a aimé, quoi qu'en diront les cons et les incompréhensifs.

Boîte de Pandore

Publié le vendredi 5 février

C'est en lisant cette lettre que je me suis dit que j'aurais mieux fait de me foutre en l'air. Chaque mot qu'elle avait écrit, que je lisais, faisait battre mon cœur un peu plus vite. *Depuis quand est-ce qu'elle m'aime ?* me répétais-je à chaque instant. Comment aurais-je pu soupçonner que derrière son silence se cachait une telle affection ?

Je ne croyais évidemment pas être un père détestable, mais juste un père banal qu'on apprécie, parce que c'est le seul qu'on a. Mais là, à lire ses mots, j'ai eu l'impression d'avoir été pour elle une sorte de canne lui permettant de marcher et d'avancer. Maintenant cette canne a disparu, et la voilà qui rampe à terre, avec pour seul réconfort la musique, agissant comme une dose de morphine.

Au début, je pensais qu'elle exagérait, qu'il s'agissait d'un désespoir d'adolescent aussi éphémère que puissant – il faut garder à l'esprit que cela a été écrit le soir où elle a appris la nouvelle. Cependant, le reste de son journal contenait d'autres passages où elle exprimait son amour pour moi ; des choses qui à mes yeux n'étaient que des détails prenaient pour elle une tout autre proportion.

Dans son journal, tout adolescent, elle parlait de sa solitude, de son impression d'être transparente et inutile. J'étais le seul à lui donner la sensation d'exister.

Il est intéressant de constater une double volonté, se poser comme incomprise et écrire l'avenir : « Tu vas me manquer, et on n'y pourra rien changer. » Une sorte de fatalisme dont on peut tirer une fierté, car il montre la puissance de notre amour, alors qu'en fait celui-ci ne fait que nous ronger. Hélas, ou heureusement, avec l'âge, c'est bien normal, les plaies du cœur guérissent un peu.

Suis-je donc un monstre ? Certainement. J'ai violé son intimité, à deux reprises. Malgré tout, contrairement à ce que je disais au début de cet article, je vais tenter de recoller un peu les pots cassés. Il n'y a plus rien à voir chez moi ; juste le vide d'un quotidien, et mon existence se dépouille de son intérêt. Qu'ai-je à perdre ?

Je peux devenir son ange gardien, un vrai, qui s'occupera d'elle à son insu. Pour cela, j'ai juste à lui montrer qu'elle existe. Amusante occupation, pour un fantôme.

Le monde de Sophie

Publié le samedi 6 février

Coïncidence amusante et non dénuée de sens, j'ai choisi le prénom de Sophie – qui n'est pas le vrai – en consultant un calendrier. Mais après avoir lu sa lettre, j'ai eu une idée. Son problème, celui qui revient fréquemment dans les pages du journal, c'est l'impression de ne pas appartenir au monde. Je me suis demandé comment entrer en contact avec elle et tenter de l'aider, tout en gardant l'anonymat.

« Son » prénom m'a alors fait penser à un livre : *Le Monde de Sophie*. Ce livre repose sur une idée simple : une jeune fille de 14 ans, Sophie, reçoit un jour une lettre dans laquelle est écrit « Qui es-tu ? », ce qui va la mener à se poser des questions sur elle-même et sur le monde.

Cette idée m'a séduit. Pas uniquement pour la sécurité qu'elle apporte en me permettant d'aider ma fille sans qu'elle sache qui je suis, mais aussi pour le fait que ce soit une fiction (le faux nom de Sophie) qui me fasse penser à une autre fiction, littéraire, pour influencer le monde réel. Voilà l'image que j'en retiens : deux fictions mises dos à dos prennent vie sous ma main. Une semaine tout juste après ma disparition, je lui ai donc envoyé une lettre où j'ai tapé les mots suivants : « Qui es-tu ? »

Au fond, j'espère probablement qu'elle trouve la réponse à une question qui reste une énigme pour moi. Le début de sa quête de sens. Il faudra savoir garder mes distances.

Aveux à la Cyrano

Publié le dimanche 7 février

Le plus dur, face à un mur, c'est de résister à l'envie de se précipiter contre et de le faire trembler. Lorsque Sophie a lu mes trois mots, elle n'a pas frémi. Qu'est-il advenu de l'adolescence et de ses errances ? Elle n'a même pas semblé étonnée de recevoir une lettre, alors que ça ne lui arrive jamais. Puis ses yeux se sont posés sur mes mots, les ont fixés comme pour les forcer à mieux se dévoiler, avant de passer à autre chose.

Il est vrai que dans ma volonté de mêler fiction et réalité, je n'avais pas envisagé que tout ne se passerait pas aussi bien que dans *Le Monde de Sophie*. De tels mots sont plus effrayants que séduisants. Tout ce qui paraît hors du commun ressemble à une mauvaise plaisanterie, on ne le prend pas au sérieux. J'ai alors décidé d'être moins direct, de me montrer plus compatissant, de sorte qu'un lien émotionnel nous unisse.

C'est un équilibre difficile, où il faut lui donner envie de se connaître, tout en évitant de l'inciter à me connaître. La prendre par la main, sans qu'elle sache vraiment à qui appartient cette main. C'est le rôle d'un parent, je crois, et c'est plus facile quand notre enfant ne nous regarde pas. « Je suis au courant pour ton père. Tu n'es pas seule. Je suis sincèrement désolé. » De trois petits mots à trois petites phrases.

Ce « double entendre » a quelque chose d'ironique qui me plaît. C'est un cri du cœur qu'elle ne peut pas comprendre. Et c'est évidemment une preuve que mes motivations sont biaisées. Qui est-ce que je tente de sauver, en créant cet espace de communication ? Elle ou moi ? Est-ce que je fais cela pour me repentir ? Pour mon plaisir ? C'est vrai que je suis excité à l'idée d'être l'homme derrière le rideau, à profiter de ma position de voyeur pour faire le bien. Tout cela, je le couvre, je le pare de mille atours et je dis bien haut : j'aime ma fille, au point de revivre un peu.

Jeu de rôle

Publié le lundi 8 février

Je le dis avec un peu de fierté, à la lecture de ces trois nouvelles phrases, ses yeux se sont ouverts. Non pas que, d'un coup, elle se soit mise à mieux comprendre le monde, mais elle s'est montrée moins fermée. Je me base sur un exemple simple : lorsqu'elle a reçu la deuxième lettre, elle a regardé autour d'elle, comme si elle avait peur d'être observée. C'est un détail, évidemment, mais j'y attache de l'importance. Tout comme le fait qu'elle se soit empressée d'aller dans sa chambre pour en lire le contenu. C'est de son âge.

Elle va probablement s'imaginer qu'un garçon a des vues sur elle ; j'espère que ce n'est pas ce qui éveille son intérêt pour mes lettres. Dans le pire des cas, je pourrais en jouer. « Jouer », un mot qui me trahit mais, croyez-moi, je sais que ce n'est certainement pas un jeu pour elle. Mais est-ce l'auteur qui l'intéresse ou les mots eux-mêmes ?

J'aimerais lui demander : « Crois-tu que ton père est mieux là où il est ? » Je suis sûr qu'elle pourrait m'apporter une réponse intéressante, mais elle est probablement encore sous le choc, et qu'un anonyme ose soulever ce genre d'interrogation pourrait être perturbant pour elle.

Quel est le but de ces messages ? Précisément celui-ci : qu'elle regarde plus loin que ses pieds, qu'elle se rende compte qu'il existe autre chose par-delà son quotidien. Juste un petit quelque chose, une étincelle qui sort de la boîte aux lettres, pour lui rappeler que vivre, ce n'est pas seulement se lever le matin. Lui rappeler qu'un monde d'idées s'agite sous la surface des apparences. Pas forcément meilleur, juste distinct, fait d'échanges sans paroles, de regards et de miroirs, de sens sans absence, d'avenir sans souvenirs. Un monde souterrain, également constitué de frustrations rampantes, de rêves sans mouvements, d'espoirs désavoués, de folie refoulée, de vide accepté. Tout cela en fusion dans les égouts de notre prétendue intimité, celle que tout le monde partage. Nous avons chacun ceci de commun mais, victimes d'un stupide orgueil, nous nous taisons et continuons notre chemin tout tracé, balisé.

Je lui ai donc posé une nouvelle question : « Dans quel monde vis-tu ? », en lui indiquant par quel moyen me répondre. Ce n'était d'ailleurs pas évident, je n'avais pas pensé à cette éventualité.

L'idée était de trouver un lieu où elle déposerait sa réponse que je pourrais récupérer, une fois que je constaterais qu'elle est en train de dormir chez elle. La sachant secrète, je gage qu'elle n'enverra personne m'attendre à l'endroit prévu. Et, même dans ce cas-là, un comportement singulier – téléphoner, vérifier ses SMS régulièrement... – me permettrait d'éviter le pire.

Je lui ai demandé de déposer sa réponse sous des lunettes d'observation – attrape-touristes que personne n'utilise –, installées sur les hauteurs de la ville. Le lieu a son importance, je ne pouvais m'empêcher de choisir un endroit qui soit un minimum porteur de sens et de sensations. Elle serait là, au sommet de la colline. Peut-être lèverait-elle les yeux vers l'horizon, peut-être même tenterait-elle de voir au-delà ? Une légère brise frôlerait ses joues et ces caresses seraient les miennes. Une profonde inspiration, un léger tremblement et, chacun de son côté, nous aurons rêvé un peu.

Juste un besoin primaire, celui de communiquer comme je n'ai jamais pu le faire avant. Celui de dire « Tu n'es pas seule », alors que je ne serai plus jamais là.

Le monde selon Sophie

Publié le mardi 9 février

Frémissante d'impatience, Sophie vérifie désormais le courrier tous les jours. C'est amusant de constater l'impact que je peux avoir sur un quotidien, de voir que, désormais, le midi, elle ne monte plus dans sa chambre mais guette l'arrivée du facteur si la boîte aux lettres est vide.

Ce jour-là, le préposé est passé avant elle. Sophie s'est donc saisie de la petite enveloppe, mais n'en a parcouru le contenu qu'une fois dans sa chambre. « Dans quel monde vis-tu ? »

Pourquoi cet intérêt soudain ? Le « Qui es-tu ? » ne semblait pas l'avoir touchée, mais, maintenant que je suis entré dans son univers par le biais du « Je suis au courant », elle m'accepte.

La valse du quotidien ne lui a pas permis de me répondre tout de suite. Elle a probablement laissé son esprit assimiler la question durant l'après-midi. La première chose qu'elle a faite en rentrant a été de sortir une feuille de papier et de se mettre à dessiner. J'ai compris qu'elle préparait sa missive.

Vingt-huit minutes plus tard, prétextant d'aller rendre un cours à une amie, elle est partie déposer sa lettre à l'endroit indiqué. Je l'ai récupérée à la tombée de la nuit.

Sa réponse se présentait sous la forme d'une petite bande dessinée. La première case était toute noire. En dessous, il était écrit : « Il était une fois le néant. » Suivait une série de quatre cases blanches, dans lesquelles il n'y avait que le mot « bla », de plus en plus fréquent au fil des cases. En dessous : « Puis, j'ouvris les yeux et je vis plein de monde. Mais il me semblait que le néant était toujours là. Un néant trop bruyant… Tous parlait, personne ne s'écoutait. » Au centre de la page, il y avait une grande case, qui la représentait en train de dessiner cette même bande dessinée. « Alors, pour ne plus subir ceci, je revenais le plus vite possible chez moi, dans mon sanctuaire, seul endroit où je pouvais profiter de la solitude. Fermer les yeux et écouter de la musique, voilà ce qui étouffait la cacophonie insupportable de la journée passée. De la musique calme, qui pouvait me faire rêver, me faire oublier qui j'étais et le monde dans lequel je vivais. Et il me semblait que c'était cela, le bonheur : pouvoir, pendant une courte éternité, suspendre le temps, ne plus se soucier de rien, tout simplement laisser voguer son esprit au gré des notes. » Et, à nouveau, une case toute noire : « Toutefois, derrière la porte, le néant était toujours là. »

J'ai été, je dois l'avouer, ému par cette naïveté et cette simplicité, d'autant plus qu'elles semblaient délibérées, comme en témoignait l'utilisation de la tournure empruntée aux contes de fées. Fascinants aussi étaient le fait qu'elle soit consciente de son isolement et qu'il s'agisse d'un choix, et la fin un peu fataliste, qui posait sa « vision du monde », cernée par l'angoisse du néant. Le tout, donc, sous forme d'une jolie bande dessinée très simple.

Cette petite mise en abyme souligne que le fait de m'écrire participe à sa volonté de rêver et de s'oublier. J'interprète très probablement quelque chose qu'elle n'a pas fait consciemment – dire ça, n'est-ce pas la sous-estimer ? J'ai l'impression que c'est ce que j'ai fait durant les seize premières années de sa vie.

Ce qui me surprend le plus et me rassure à la fois, c'est qu'elle n'a rien écrit dans son journal depuis que nous sommes entrés en contact. En se livrant ainsi à moi, elle me permet de choisir mon angle d'attaque. Curieusement, elle ne m'a pas posé de question en retour. J'ai donc carte blanche, il me suffit de devenir un peu romantique et rêveur, pour la toucher en plein cœur.

Déraille-ment

Publié le mercredi 10 février

Afin d'avoir une emprise sur elle, et de ne pas me réduire à quelques questions étranges, j'ai donc décidé de lui écrire une lettre typiquement adolescente, avec tous les clichés inhérents. Il faut bien que je vous l'avoue, je me suis délecté de cet exercice.

Enfance, lune, métaphores filées ridicules, frustration envers la société, tout y est. Je me suis toutefois retenu de ponctuer mon texte de ces points de suspension qui souhaitent tout rendre mystérieux et plein de sous-entendus.

Au fond, ce que je lui dis n'est pas si ridicule, mais il me semble que cet enrobage est nécessaire pour attirer son attention. La maturité de sa lettre et du mail de Thomas devrait me servir de leçon : je me suis toujours placé bien au-dessus d'eux, j'ai sûrement eu tort.

La vie vaut-elle d'être vécue ?

Il fut un temps où nous étions enfants, et cette question ne se posait évidemment pas. Mais avec l'âge, des préoccupations peu amusantes envahissent notre esprit et nous empêchent de mener une vie simple. Enfant, on regarde la lune en se disant qu'elle est belle, plus tard, on la regarde toujours en se disant que c'est la seule chose en laquelle nous pouvons avoir confiance. Mais parfois, la lune s'éclipse, et l'on se dit qu'il est temps de parler avec quelqu'un d'autre. Il est temps de se rendre compte que la lune a beau être présente, elle ne peut pas grand-chose pour nous, alors on regarde autour de soi et on voit d'autres personnes regardant le ciel, des gens comme nous. Dès lors, la problématique apparaît de façon évidente : la vie vaut-elle d'être vécue ? En effet, dans un monde où nous sommes tous seuls, y a-t-il une place pour le bonheur ? Sommes-nous voués à l'échec ? Comment sortir de l'abîme ?

Force est de constater que la société dans laquelle nous vivons ne laisse que peu de place à l'accomplissement personnel, nous poussant sans arrêt à nous insérer dans un groupe, et ainsi à diluer notre individualité dans la masse.

Ça, c'est dans la pratique, mais il naît de cet état de fait un certain malaise qui vient de notre tendance à nous embourber dans cette société, nous ne vivons qu'au travers du regard des autres, souvent arbitraire et changeant. Dès lors, aucune stabilité ne s'offre à nous, puisque nous sommes sujets au jugement fluctuant d'autrui, qui ne se base que sur un frêle ressenti. Le mal est fait, nous ne vivons plus mais suivons le courant, longeons le rail de notre vie dont les aiguillages sont hors de portée. Les jours passent et, finalement, on finit par regarder le paysage sans se poser de questions… Pourtant, il est si monotone.

J'en ai assez de voir ces paysages sans jamais pouvoir les visiter, de continuer le trajet de ma vie sans jamais pouvoir m'arrêter, assez de regarder derrière moi et de constater tout ce que j'ai raté. On a tous les cartes en main pour changer cela, il suffit de tirer le signal d'alarme ; la réelle question étant « Aura-t-on le courage de le faire ? », sommes-nous prêts à tout arrêter, au risque de faire dérailler le train, sans que personne puisse nous aider ? Non, bien sûr que non, nos petites banquettes sont si confortables, pourquoi parier sur l'avenir alors que nous avons bien vécu jusqu'à maintenant ? C'est la conclusion logique de toute considération sur le sujet, et on se remet à regarder mélancoliquement le paysage.

Pourtant, il y a une autre issue. Car nous ne sommes pas seuls dans le wagon de notre vie. Certains observent par la fenêtre, d'autres préfèrent fermer les yeux, et certains encore regardent autour d'eux, regardent les autres passagers, et parfois rencontrent leur regard. C'est dans ce moment que se situe la clé, qui scintille comme une évidence. Ce dont on a besoin, après tout, ce n'est peut-être pas de descendre du train, mais de voir que certains passagers s'ennuient autant que nous. Et cette clé nous permet de rester dans le wagon tout en vivant autre chose.

Cette autre chose, que seule une autre personne peut nous apporter, c'est le sentiment d'exister. Ce sentiment même qui modifie le regard que l'on porte sur le paysage, qui nous donne l'impression que nous choisissons notre chemin. On ne nous a jamais permis d'exister, et c'est pourtant la seule chose que l'on demande, quelqu'un qui puisse nous voir et savoir qui l'on est.

Enfant, je croyais que le paradis était une colline d'où je pourrais contempler l'horizon – les montagnes sont trop abruptes, une colline m'était largement suffisante, pourtant, le fait est que je n'en ai jamais gravi. À quoi bon contempler le monde s'il n'y a personne à qui en parler ?

Mensonges d'une nuit d'hiver

Publié le jeudi 11 février

Sophie… Les jours passeront, et à chaque fois que ses yeux se poseront sur la boîte aux lettres, son esprit s'amusera à imaginer une nouvelle main tendue de ma part. Avide de savoir qui se cache derrière le stylo, elle me demandera de me montrer, de me dévoiler, et mon plan sera gâché. Le piment de la chose réside dans cette frustration.

À la lecture de ma longue lettre, tout s'est figé. J'ai vu de l'amour pour son auteur et cet éclat m'a paru bien dangereux. Plus que dans les yeux de Sophie, c'est dans son hésitation que j'ai compris l'intérêt qu'elle me portait : une dizaine de brouillons lui ont été nécessaires pour parvenir à répondre.

Au final, ses mots ont été simples : « Tu es cette partie de moi que j'ai emprisonnée. Quand la libéreras-tu ? » Ce lyrisme naïf trahit son adolescence.

Elle ne peut avoir conscience que seuls quelques kilomètres nous séparent. Cependant le chemin pour nous retrouver est long. Si long. Quelques minutes à parcourir, un cœur qui percerait ma poitrine, une simple conversation à lancer et tout serait résolu. Pourquoi suis-je ainsi tendu ?

Simplement, la liberté est effrayante. À l'instant où les lois des conventions sociales seront transgressées, je me sentirai libre. Libre d'agir, mais également libre de chuter. Nos destins ne sont plus censés se croiser et, en prenant une initiative aussi stupide, n'est-ce pas le cours de la vie lui-même que je défie ? C'est pour cela que je tremble.

Je me sais à l'origine de quelque chose qui m'échappe déjà. Je me prends pour le créateur d'un instant, et je ne voudrais en aucun cas que ma création soit mauvaise. Je tremble, car je me suis écarté d'un chemin tout tracé et cette incertitude est à la fois fascinante et effrayante. Et Sophie est là, face à mes lettres, à ne savoir que dire. Évidemment.

C'est devant ce silence que je suis le plus heureux : quand ses yeux trahissent sa surprise, quand, à un moment dans sa vie, je ne suis plus un point final, mais un point d'interrogation. Quand l'incrédulité jaillit de son sourire gêné et que défilent dans son esprit les tentatives d'expliquer mon existence et mon absence. Qui est-il ? Que veut-il ? Que me veut-il ? Que veut-il me dire ? Pourquoi me dit-il cela ? Jamais je ne répondrai à ça. Tout ce qu'elle a besoin de savoir, c'est qu'elle n'est pas seule, que quelqu'un veille sur elle.

Forcément, les jours suivants, elle baissera les yeux face à l'absence de l'absence. Elle sera gênée de mon silence et ne comprendra pas. Peut-être que, dans quelques années, elle retrouvera ces lettres rangées au fond d'une boîte à chaussures et se demandera à nouveau ce que j'en attendais. Le poids des ans et de la solitude lui apportera une réponse.

Exister. Tout simplement. Des deux côtés du stylo. Lorsqu'elle comprendra cela, il sera trop tard. Après tout, c'est cela même, la vie, essayer souvent et échouer tout autant de fois. Ce consentement au risque est un instrument expiatoire. Il faut nous l'imaginer heureuse.

Avorte-ment

Publié le vendredi 12 février

Ne croyez pas que j'abandonne ma fille une nouvelle fois. Il faut plutôt considérer que je lui ai insufflé un second souffle. Il est désormais de son devoir de respirer par elle-même.

On a tous connu des petits moments de notre vie marqués par des coïncidences étranges, par des sensations de déjà-vu. Des situations qui dévoilent pendant un court instant toute la complexité du monde dans lequel nous avons été plongés. J'ai toutes les cartes en main pour lui faire goûter à ces instants exquis où l'on perd pied. Il faut bien l'avouer, les expériences qui laissent des traces sont celles où l'on trébuche. À quoi bon ? J'ai eu mon extase du moment et rien ne pourra jamais la prolonger.

Ces mots, mes mots, les siens, si on continuait de les échanger, lui apporteraient peut-être quelque chose, mais ne parviendraient pas à figer l'instant. Elle pourrait voir en eux sa propre existence, le reflet d'une vie frôlée, qu'elle ne rattraperait jamais. Mon absence est un postulat et, sans me rencontrer, elle ne verrait dans mes lignes qu'une occasion manquée. Ça, c'est mon mode de vie, certainement pas le sien. À mes yeux, il n'existe rien de plus poétique qu'une occasion manquée. C'est aussi beau que les ravages de la touche « supprimer » sur un texte qui ne nous plaît pas. Ou les vestiges d'un tableau noir brossé, sur lequel demeurent les zigzags d'un bras désespéré.

Une occasion manquée, c'est un choix avant tout. Celui de refuser les solutions, car le point d'interrogation, sinueux et divisé, est bien plus intéressant qu'un point final rond comme une Terre creuse. Celui de voir sa vie comme un chantier éternel, où l'on vivra certes toujours dehors, dans l'expectative, dans le froid de l'incertitude, dans les convulsions de l'inquiétude et du lendemain, mais où l'on ne deviendra jamais pacha, un entonnoir vissé dans la bouche où la cascade du cours tranquille de la vie viendrait s'échouer.

Non, il vaut mieux se retourner et voir toutes les bifurcations qu'on a évitées sur son chemin. Et s'imaginer ces vies possibles. Revenir sur ses choix, recommencer, en jouissant du plaisir de l'imagination malgré l'arrière-goût amer de la réalité de la vie qui reprend toujours trop vite le dessus. Mais aurait-elle compris cela, ma petite fille ?

L'important reste le souvenir. Ces prochains jours, je retournerai dans la maison et, discrètement, je déroberai des objets auxquels ils sont attachés émotionnellement ou par la force de l'habitude. Tout se fera sur la durée. Un objet par mois, peut-être moins. De sorte qu'ils ne s'en rendent pas compte. Plus que l'oubli, c'est le moment où l'objet resurgira qui sera important. Je ne vois que ce moyen pour leur rappeler l'absence. Il s'agira toujours d'influer et de veiller sur ma famille, mais froidement.

Jouer à l'ange gardien était certes une expérience intéressante, mais bien trop dangereuse. Elle m'a fait perdre de vue la distance qui m'est nécessaire pour ne pas être rongé par le remords. J'ai aidé Sophie, comme je le vérifierai par la suite dans son journal intime.

À nouveau, je peux me pencher sur ce qui nous intéresse : le néant.

Décomptes

Publié le samedi 13 février

Un mois, un moi, et vous. Le temps ronronne, temps qui, justement, a un tout nouveau sens à mes yeux.

Voici quelques observations à son propos : Thomas passe en moyenne cinq heures devant son écran en semaine, un compte qui double le week-end. Seul devant le rectangle lumineux, il converse généralement avec sept contacts dans la soirée. Sophie a un mode de vie qui paraît réglé : une heure à faire ses devoirs, une heure à écouter de la musique, une heure à lire. Elle regarde constamment l'horloge pour ne pas dépasser le temps qu'elle s'est accordé. Ma présence épistolaire de ces derniers jours a eu le mérite de chambouler un peu tout ça. Patricia s'éteint près de quatre heures par jour en allumant la télévision. Elle part travailler hors du champ de mes caméras, ce qui m'exclut d'une bonne partie de ses journées.

Les repas durent dix-neuf minutes en moyenne, dont quinze à laisser la télévision communiquer à leur place. En semaine, le temps passé en commun est d'une heure et huit minutes par jour, en moyenne. Le week-end cela varie, selon l'organisation familiale (courses, leçons de code, etc.).

Ces nombreux moments qu'ils passent à éviter leur vie me permettent de dire que je n'ai pas sacrifié grand-chose. Si je calcule bien, j'ai raté une trentaine d'heures à leur côté. Le reste du temps, nous aurions été sous le même toit, mais isolés les uns des autres au point d'en oublier l'existence de chacun. Ici, je ne peux pas y échapper.

Tout ce que je peux voir aujourd'hui, c'est qu'il y a un mois et un jour, j'étais déjà mort.

La vie est une hésitation entre une exclamation et une interrogation. Dans le doute, on met un point final.

Fernando PESSOA

Rideau

Publié le dimanche 28 février

Bonsoir,

Rien n'est vrai. Je vous l'ai dit depuis le début, ne me dites pas que je vous ai trahis.

Tout est faux, sauf un point : le vide. Moi, je suis Thomas. Mon père est mort il y a un mois et demi. Ce blog est une vision déformée de la réalité, c'est mon refuge. Tout s'est passé comme je l'ai décrit, c'était un jour comme les autres. Comme un imbécile, je regardais les dessins animés, pendant que ma mère apprenait la nouvelle. Elle est allée voir son corps, mais ne l'a pas reconnu, il était totalement défiguré.

Lorsqu'elle m'a fait part de cela, la première chose à laquelle j'ai pensé, c'est que ce n'était pas lui. Après tout, elle n'avait pas de preuve tangible. Je ne pouvais pas l'accepter, admettre sa disparition. Je voulais croire qu'il veillait sur moi, comme la pensée commune le laisse entendre.

J'en suis arrivé à écrire tout ça. C'était ma manière de porter le deuil, de garder l'image de mon père avec moi. Je me suis mis « dans sa peau », ou plutôt dans la représentation que je m'en faisais. J'imaginais qu'il nous regardait et nous jugeait, comme un esprit omniscient l'aurait fait.

Mon père aimait la littérature. Je l'ai toujours connu le nez plongé entre les lignes et, au fond, je voulais peut-être produire quelque chose qui aurait pu lui plaire, comme un hommage. Je voulais comprendre son silence.

J'ai tenté de me détacher de la situation, de voir comment je digérais la nouvelle, comment je pourrais en parler, et c'est comme ça que l'idée du blog m'est venue. Je me suis rendu compte de tous les non-dits, de tous les dialogues creux, de notre incapacité à communiquer. Je me suis créé un sauveur, un père capable de secourir ma sœur.

Sophie... Sa lettre, son journal intime, tout, malheureusement, est bien réel. Je me suis peut-être servi de l'image de mon père pour justifier le fait que je lise le journal de ma sœur, mais aucun ange gardien ne viendra lui redonner goût aux choses. Dans mon récit, tout se déroule trop bien. En quelques lettres, son cœur se remet à battre. Ça ne se passe jamais comme ça. Jamais. Ma sœur est à quelques mètres de moi et je ne parviens pas à trouver les mots. Il est tellement plus facile de se créer un monde idéal que de vivre dans celui qu'on nous impose. Je ne pouvais pas me décider à le laisser partir.

Et je voulais parler des stupides lettres de condoléances, des mots qui sont censés apaiser, de la quête de sens, de la famille qui se regroupe comme pour mieux accepter le vide. Je voulais parler de la douleur qui ne se voit pas, de cette vie qui n'est pour moi qu'un automatisme.

En adoptant ce point de vue qui n'était pas le mien, je n'ai réussi qu'à me mépriser. Elle est tellement pathétique, notre existence, lorsqu'on regarde bien. Tous ces repas sans paroles, ces jours sans couleurs, ces heures passées devant mon ordinateur. Ce n'est pas de cela dont je voulais parler mais, même en prenant du recul, je n'ai rien pu voir d'autre.

J'ai donc décrit quelques journées, je n'avais clairement pas besoin d'être omniscient pour le faire, il suffit d'ouvrir les yeux et de se rendre compte, avec un peu de tristesse, que tout ce qu'on vit est déjà écrit. Le reste n'est que variations, parce que rien ne se passe jamais. Je me suis peu à peu effacé de ces quotidiens, par peur de m'acharner sur moi, de transformer cela en exercice d'autoflagellation. Alors je me suis concentré sur Sophie.

Tout ça a eu lieu en décembre. Le 31, on m'a invité à « faire la fête ». Au final, j'avais besoin de silence et je me suis retrouvé seul, sur une écluse, alors qu'autour de moi résonnaient klaxons et cris de gens bourrés. J'ai pris une photographie de la réverbération de la pleine lune dans l'eau et une vidéo des reflets des lampadaires, des phares des voitures, des feux de signalisation qui passent du rouge au vert.

J'avais besoin de me vider l'esprit et, parfois, quelqu'un me voyait et venait me dire : « Tu vas pas sauter, hein ? », ou : « Ne saute pas, ça sert à rien. » C'était juste des mots en passant, ils ont continué leur chemin et moi aussi.

On ne s'arrête jamais d'avancer, et on sait que demain, dans la rue, on ne fera pas la différence. Le plus triste, c'est peut-être cette certitude : la vie continue. Il suffit de faire comme d'habitude : enterrer ses émotions.

Il suffit d'ensevelir ses souvenirs en même temps qu'un proche.

Mais moi, je n'ai pas fait ça, j'ai cette voix qui me répète sans cesse « Souviens-toi », alors j'ai planté les graines de mon désespoir et depuis, chaque jour, le parfum des fleurs à demi closes m'emplit de nostalgie. Je n'oublie pas. Ce retour perpétuel en arrière et certains éclats de mémoire me permettent de croire que tout n'est pas vain.

Ce banc, ces rires au bord de l'eau, ce sont les tiens. Ce concert de Satie à l'opéra, on n'y voyait rien mais c'était parfait ; c'était il y a un an jour pour jour, ça paraît si loin désormais, mais j'ai juste à fermer les yeux et, de nouveau, on est ensemble. Tout ça est gravé en moi, je ne pourrai jamais m'en séparer, alors qu'un revers de main suffit pour que disparaissent les larmes.

Ce n'était pas si dur de raconter l'histoire d'un homme regardant sa vie au travers d'un écran. C'est ce que je vis au quotidien, c'est ce que je suis en train de faire en ce moment même : transmettre mes pensées à des inconnus, alors que ma famille est à quelques mètres. Même en étant conscient de cela, je reste enfermé dans la lueur bleuâtre du moniteur. On y est bien : rien n'a de conséquences.

Je voulais offrir une fin heureuse à cette histoire, je voulais que papa redonne à Sophie goût à la vie, je voulais qu'il trouve un nouveau mari à ma mère, je voulais qu'il m'aide à m'écarter de mon écran, je voulais juste que quelqu'un nous sorte de ce marasme, qu'on nous emmène ailleurs, loin de nous-mêmes. Parce que le changement ne peut pas venir de moi, je me sens totalement impuissant.

J'aurais voulu faire quelque chose de plus complet, de plus subtil, mais je ne suis pas un écrivain, le vide de mon quotidien a rendu mes mots creux, et je ne sais plus quoi dire. J'ai juste tenté de faire quelque chose de cohérent. J'ai effectué des recherches avant de me mettre à rédiger cela, et ce que j'ai écrit est tout à fait réalisable. Je me plais à croire que quelqu'un a réellement vécu cette histoire.

La réalité c'est que, dans quelques mois, je passerai mon bac, je serai lancé sur les rails de ma vie, j'achopperai à quelques aiguillages de temps en temps, et à peu de choix. C'est comme ça, j'avance sans grande conviction : l'inertie me pousse.

J'aurais aimé que ça se passe comme je l'ai raconté. Quand j'ai lu mon histoire à Florian, mon meilleur pote, il était mal à l'aise. Il trouvait que je ne faisais pas honneur à la mémoire de mon père. Il me disait qu'un tel type le dégoûterait, qu'abandonner sa femme, ses enfants, violer leur vie privée et leur intimité, fonder tout ça sur un mensonge énorme, reviendrait à être un déchet, un mec complètement égoïste.

Au moins tu serais là, quelque part, et ta disparition aurait un sens. Mais même si je ne suis pas ce que j'ai prétendu être, je n'en reste pas moins un rebut, à stériliser mon quotidien par crainte de vivre, à m'inventer un monde, redoutant d'affronter le mien.

Le rideau tombe, mais je ne vais pas me poser en moralisateur, comme on peut le faire lorsqu'on rédige une lettre de suicide, dans laquelle on dit à ceux qui restent : « Vivez, profitez de la vie, communiquez ! », parce que moi-même, je sais que je serais incapable de réussir cela.

Je vous remercie juste pour votre temps, pour m'avoir donné l'illusion d'être lu, ce qui me permet de croire qu'on m'entend, quelque part. Peu importe que tout ne soit que chimère, les mots gardent leur sens. Certains seront déçus, d'autres rassurés, ils se diront : « Ah c'était faux, finalement », mais la douleur est là, bien réelle. Elle me réveille tous les matins, et me berce le soir. Je t'aimais, tu sais, mais tu es bien loin de tout ça maintenant.

Moi, je reste là.

Postface

Ce blog a vraiment existé.

À la lecture de ce récit, on peut se demander pourquoi le narrateur franchit le cap et se lance dans ce projet fou. De la même façon, on me demande souvent pourquoi j'ai écrit cette histoire. Pourquoi écrire une histoire où il est question de mettre en scène sa propre mort ? Ma réponse est toujours la même : « Si je l'ai écrit, c'est pour ne pas avoir à le faire. »

Cloîtré dans un hiver écossais aux nuits interminables, loin de ma famille et de mes amis, j'ai eu l'impression de les voir continuer à vivre leur vie à travers mon écran, grâce à Skype, Facebook, autant de fenêtres qui donnent sur leur monde. Au fond, sans les côtoyer, j'avais l'impression de les connaître mieux.

J'ai donc décidé d'écrire sur le sujet, et de m'imposer une contrainte : publier un chapitre par jour. Pour m'y tenir, je les postais sur un blog : je me disais qu'avoir un minimum de lecteurs me mettrait suffisamment de pression pour aller jusqu'au bout. Chaque soir, je publiais un nouveau chapitre de cette histoire qui a rapidement attiré un petit lectorat régulier.

Certains de ces lecteurs fidèles laissaient des commentaires. Je vous en rapporte plusieurs que j'ai parfois réécrits lorsque leur formulation était trop obscure, que j'ai parfois laissés tels quels malgré leurs fautes de syntaxe et d'orthographe. Les premiers s'intéressaient surtout à la véracité de ce que je racontais.

Laissé par : John le 17/01/2010 à 23 h 43

Intéressant, mais ça me semble surréaliste au niveau des moyens mis en œuvre, aura-t-on des preuves ?

Laissé par : Klaus-Mann le 19/01/2010 à 0 h 33

Tu es assez con et mesquin et – excuse-moi du peu – naïf pour nous faire croire que tu te fais passer pour mort ? Sache que ça n'est ni excitant, ni buzzifiant. Tu as plutôt l'air d'un gros con, c'est tout. Je te souhaite bonne chance pour ton idée exécrable. Peut-être rameutera-t-elle quelques autres cons de ton espèce ! Bonne continuation ;-)

Laissé par : Ju le 21/01/2010 à 12 h 44

Franchement, même si tu y mets du tien, ça suinte le pur *fake* à plein nez. Enfin, ça doit être un trip comme un autre que de s'imaginer mort.

Bien essayé ;)

Laissé par : Bibi le 20/01/2010 à 21 h 29

« Intéressant » est le mot.

Je trouve le doute soulevé par ce blog tout à fait délicieux. Est-ce un *fake*, est-ce vrai ? À bien y réfléchir, je trouve qu'il y a autant d'indices pour que d'indices contre. Par exemple, quelque chose me frappe. Partons du principe que cette histoire est fausse. Ce serait typique d'un jeune (on va dire 14-24 ans) accro au Net et aux histoires morbides. Néanmoins, au fil des lectures, à découvrir vos articles et vos réponses aux commentaires, il est manifeste que vous avez de la culture. Franchement qui, à part quelques personnes cultivées, connait René Char ? Et est-ce que des personnes suffisamment intéressées par la culture hors Internet iraient se fourvoyer dans pareille aventure sordide et malsaine ?

Votre style semble concorder avec l'âge (mettons entre 40 et 60 ans) que vous seriez supposé avoir…

Une remarque qui tendrait à croire que cette histoire est fausse : la dernière phrase de l'un de vos précédents articles, où vous annoncez de manière crue que votre fils s'est masturbé. En soit, ce n'est pas surprenant. Mais cette phrase, et la manière dont elle est écrite et proposée, dénote une volonté évidente – et même navrante, alors que le reste est plutôt bien joué niveau écriture – de choquer le lecteur. Si cette phrase avait été perdue au milieu d'autres, pourquoi pas. Si elle avait été écrite autrement, idem. Mais là...

D'autres détails m'interpellent, mais autant ne pas s'étaler.

Ce doute est louable, mais j'avais un peu peur que les lecteurs ne se focalisent que sur cet aspect du récit, sans en saisir le propos. C'est pour cela que j'ai écrit le chapitre « Le tour d'écrou » : l'objectif était de les mettre face à leur recherche perpétuelle d'indices pour qu'ils comprennent la vacuité de cette entreprise et s'intéressent aux personnages. Peu à peu, même si une certaine méfiance subsistait, les lecteurs se sont pris au jeu, parfois malgré eux. À la manière du narrateur, ils se sont lancés dans quelque chose qui les dépassait parfois, sans pouvoir s'arrêter de me lire.

Laissé par : Rose le 18/01/2010 à 18 h 52

Très intéressant à lire.

Je vais peut-être passer pour sadique ou immorale, mais je t'encourage à continuer.

Laissé par : Maeva le 22/01/2010 à 11 h 9

Les vraies histoires n'ont pas besoin de s'être réellement déroulées. Je ne comprends pas pourquoi ça vous tient tellement à cœur de « prouver » que c'est un *fake*, on s'en fiche.

Pour ma part je profite de ce blog comme d'un roman, pour l'initiative qu'il expose, pour l'idée qu'il exprime...

J'encourage par ailleurs l'auteur à continuer, j'apprécie vraiment !

J'imaginais le narrateur recevant une petite tape dans le dos à chacun de ces commentaires, comme si les lecteurs justifiaient par leur présence l'existence de ce blog. Mais, au fur et à mesure, certains ont fini par vraiment s'inquiéter pour le narrateur. Qui est donc assez fou pour tenir son personnage aussi longtemps ? Et si c'était vrai ?

Laissé par : Bibi le 26/01/2010 à 9 h 21

J'espère que cette situation ne finira pas par vous déprimer, et vous donner des envies de suicide (ce qui serait somme toute compréhensible). Parce que, dans ce cas, ma conscience m'obligerait à faire part de mes doutes quant à la véracité des informations de ce blog à la police, ce qui pourrait mener à une situation gênante (que cette histoire soit vraie ou fausse).

Laissé par : A-nonhyme le 24/01/2010 à 20 h 30

Le désespoir nous pousse à bien des atrocités, je comprends votre besoin de creuser votre propre tombe, mais je n'aime pas votre manière d'y faire participer vos proches, sans qu'ils le sachent. Un homme qui décide de mourir fictivement autant que physiquement ne peut se permettre d'entraîner avec lui la mort des gens qui lui sont proches.

Un simple conseil d'ami, préparez votre résurrection, ou terrez-vous seul, loin des gens qui vous aiment pour ne pas sombrer dans la folie. Zone où vous vous êtes déjà bien avancé.

D'autres suivaient le récit et commentaient chaque soir, en espérant peut-être avoir une influence positive sur le narrateur. Ils semblaient réellement vivre cette histoire, et réagissaient au premier degré. Mais ce sont bien leurs réactions qui me plaisaient le plus, car j'avais l'impression d'avoir créé quelque chose de plausible, un monde dans lequel on pourrait s'attacher à des personnages et vouloir qu'ils évoluent dans le bon sens.

Laissé par : Dload le 29/01/2010 à 10 h 50

Toute la famille semble avoir envie de parler de vous. Mais, malheureusement, la peur de faire remonter le chagrin et de voir les faiblesses des uns et des autres stoppe cette envie…

Vos enfants se confieront certainement dans quelque temps, mais à leurs amis proches, pour avoir un avis extérieur et non maternel sur la situation.

Votre femme, quant à elle, se doit face aux enfants de rendre le cours de la vie « normal », et ne peut extérioriser son mal intérieur que par un mutisme monotone.

Ces attitudes, ce n'est pas de l'indifférence, c'est une peur de la confrontation… Vous avez l'image et le son de vos proches, mais pas leurs pensées…

Laissé par : Maeva le 06/02/2010 à 1 h 56

Bonsoir…

Elle vient de perdre une grande partie de son identité et vous lui demandez qui elle est ? C'est assez horrible comme situation.

Si réellement je trouvais une lettre avec ces mots-là, je penserais simplement à une mauvaise blague et je n'y prêterais pas attention. Mais je suis impatiente de voir la réaction de « Sophie ».

Laissé par : Naos le 06/02/2010 à 18 h 38

Bonsoir.

Au contraire, cette question est curative, pour tous. Se la poser de temps en temps permet de ne pas perdre de vue l'essentiel.

Puis le rideau, comme le couperet, tombe, apportant avec lui quelques réponses, quelques regrets. C'est curieux, mais même si je mentais, puisque tout n'est que fiction ici, j'avais l'impression de leur dévoiler la vérité. Je voulais stopper le récit en plein milieu, pour montrer que Thomas avait bien compris que ce monde qu'il s'était créé n'avait pas grand sens, que la réalité est implacable et qu'il faut savoir l'accepter.

Et puis, évidemment, j'attendais ce moment où les lecteurs se rendraient compte que ce narrateur tant critiqué n'était autre qu'un adolescent souhaitant faire son deuil à sa manière. Il s'agissait là de montrer qu'il faut encore une fois faire attention aux apparences, que derrière les mots se cachent parfois des sentiments que l'on ne soupçonne pas, et qu'il faut cesser d'être aussi agressif sur Internet, sous prétexte que ce n'est « pas le monde réel », parce que les mots blessent, quel que soit le nombre de masques derrière lesquels on se cache. Sur Internet, on ne sait jamais réellement à qui l'on s'adresse, ni dans quel état d'esprit est la personne à qui l'on parle.

Laissé par : LA MAUDITE le 18/12/2010 à 1 h 20

J'avoue que je n'ai lu que les deux premières pages, et que je trouvais qu'il y avait quelque chose qui coinçait : comment un homme peut rester caché dans sa propre maison sans que personne ne s'en aperçoive ? Je suis donc allée cliquer directement sur la fin, sur la page « rideau » et là, scotchée, comme dans une intrigue de film, j'ai trouvé cela touchant, et je comprends que dans cette grande douleur il y a eu comme une protection, que ce blog ça t'a permis sans doute de justement « tenir » et de repartir aussi.

Laissé par : Skinny le 02/03/2010 à 14 h 49

Je t'avais insulté dans un des tout premiers chapitres, je me sens un peu con maintenant... désolé.

Laissé par : Bibi le 28/02/2010 à 11 h 05

Deux solutions.

Ce que tu dis est faux, ton père est vraiment mort et tu as écrit ce blog pour te libérer... Auquel cas, ce serait dégueulasse pour le lecteur de laisser de vilains commentaires au regard de ta souffrance.

Ce que tu écris est faux, et c'est bien là que ce serait magistral : on passe d'une situation quasi impossible où, malgré tout, le doute subsiste, à une situation beaucoup plus plausible. Néanmoins, en y réfléchissant bien, si tu nous avais dit dès le départ « Mon père est mort mais peut-être qu'il a simulé son décès », on aurait plutôt pensé à un trip malsain. Mais le fait d'avancer une situation beaucoup moins farfelue que la précédente légitime l'intrigue beaucoup plus facilement. De plus, le doute précédent « serait-ce vrai ? » s'est transformé en « serait-ce faux » ?... Autant au début on se demandait si une telle histoire pouvait arriver, autant là on se demande si un auteur pourrait nous manipuler à ce point et si on s'est fait avoir... Remarquable.

Remerciements

Merci à Nolwen Terrien et à Claire Villeneuve pour leur aide précieuse.

Table des matières

Mise en page PCA
44400 Rezé

Imprimé en France
par Corlet Imprimeur
14110 Condé-sur-Noireau

IMPRIM'VERT®   PEFC™ 10-31-1510

Dépôt légal : juin 2016
N° d'impression : 182833
ISBN : 978-2-7499-2651-4
LAF 2224